Temporada de huracanes

Temporada de huracanes

FERNANDA MELCHOR

LITERATURA RANDOM HOUSE

Penguin
Random House
Grupo Editorial

Primera edición: septiembre de 2017
Octava reimpresión: febrero de 2021

Esta obra literaria fue escrita con apoyo del Programa de Estímulos a la Creación y al Desarrollo
Artístico de Veracruz y del Fondo Nacional para la Cultura y las Artes

© 2017, María Fernanda Melchor Pinto
Literarische Agentur Michael Gaeb
© 2017, Penguin Random House Grupo Editorial, S.A. de C. V., Ciudad de México
© 2017, Penguin Random House Grupo Editorial, S. A. U., Barcelona

Printed in Spain – Impreso en España

ISBN: 978-84-397-3390-4
Depósito legal: B-17.082-2017

Impreso en EGEDSA
Sabadell (Barcelona)

RH3390A

Para Eric

He, too, has resigned his part
In the casual comedy;
He, too, has been change in his turn
Transformed utterly;
A terrible beauty is born.

W. B. Yeats
Easter, 1916

*Algunos de los acontecimientos que aquí se narran
son reales. Todos los personajes son imaginarios.*

Jorge Ibargüengoitia
Las muertas

I

Llegaron al canal por la brecha que sube del río, con las hondas prestas para la batalla y los ojos entornados, cosidos casi en el fulgor del mediodía. Eran cinco, y su líder, el único que llevaba traje de baño: una trusa colorada que ardía entre las matas sedientas del cañaveral enano de principios de mayo. El resto de la tropa lo seguía en calzoncillos, los cuatro calzados en botines de fango, los cuatro cargando por turnos el balde de piedras menudas que aquella misma mañana sacaron del río; los cuatro ceñudos y fieros y tan dispuestos a inmolarse que ni siquiera el más pequeño de ellos se hubiera atrevido a confesar que sentía miedo, al avanzar con sigilo a la zaga de sus compañeros, la liga de la resortera tensa en sus manos, el guijarro apretado en la badana de cuero, listo para descalabrar lo primero que le saliera al paso si la señal de la emboscada se hacía presente, en el chillido del bienteveo, reclutado como vigía en los árboles a sus espaldas, o en el cascabeleo de las hojas al ser apartadas con violencia, o el zumbido de las piedras al partir el aire frente a sus caras, la brisa caliente, cargada de zopilotes etéreos contra el cielo casi blanco y de una peste que era peor que un puño de arena en la cara, un hedor que daban ganas de escupir para que no bajara a las tripas, que quitaba las ganas de seguir avanzando. Pero el líder señaló el borde de la cañada y los cinco a gatas sobre la yerba seca, los cinco apiñados en un solo cuerpo, los cinco rodeados de moscas verdes, reconocieron al fin lo que asomaba sobre la espuma amarilla del agua: el rostro podrido de un muerto entre los juncos y las bolsas de plástico que el viento empujaba desde la carretera, la máscara prieta que bullía en una miríada de culebras negras, y sonreía.

II

Le decían la Bruja, igual que a su madre: la Bruja Chica cuando la vieja empezó el negocio de las curaciones y los maleficios, y la Bruja a secas cuando se quedó sola, allá por el año del deslave. Si acaso tuvo otro nombre, inscrito en un papel ajado por el paso del tiempo y los gusanos, oculto tal vez en uno de esos armarios que la vieja atiborraba de bolsas y trapos mugrientos y mechones de cabello arrancado y huesos y restos de comida, si alguna vez llegó a tener un nombre de pila y apellidos como el resto de la gente del pueblo fue algo que nadie supo nunca, ni siquiera las mujeres que visitaban la casa los viernes oyeron nunca que la llamara de otra manera. Era siempre tú, zonza, o tú, cabrona, o tú, pinche jija del diablo cuando quería que la Chica fuera a su lado, o que se callara, o simplemente para que se estuviera quieta debajo de la mesa y la dejara escuchar las quejas de las mujeres, los gimoteos con los que salpimentaban sus cuitas, achaques y desvelos, los sueños de parientes muertos, las broncas con aquellos aún vivos y el dinero, casi siempre era el dinero, pero también el marido, y las putas esas de la carretera, y que yo no sé por qué me abandonan justo cuando más ilusionada me siento, le lloraban, y todo para qué, gemían, mejor era morirse ya, de una vez, que nadie nunca sepa que existieron, y con la esquina del rebozo se limpiaban la cara que de todos modos se cubrían al salir de la cocina de la Bruja, porque no fuera a ser que luego dijeran, una nunca sabía, con lo chismosa que era la gente del pueblo, de que una iba con la Bruja porque se tramaba una venganza contra alguien, un maleficio contra la cusca que andaba sonsacando al marido, porque no faltaba la que inventaba falsos cuando una inocentemente lo que nomás andaba buscando era un remedio para el empacho deste pinche chamaco atascado que se zampó solito un kilo de papas, o un té que sirviera para espantarse el cansancio o una pomada para los desarreglos del vientre, pues, o nomás sentarse ahí un rato en la cocina a desahogar el pecho, liberar la pena, el dolor que aleteaba sin esperanza en sus gañotes. Porque la Bruja escuchaba, y la Bruja no se espantaba al parecer de nada, si hasta decían que había matado a su marido, ni más ni menos que el cabrón de Manolo Conde, y por dinero, el dinero y la casa y las tierras del viejo, un centenar de hectáreas de siembra y de ordeña que le dejó su padre, lo que quedaba después de haber ido vendiéndolo todo por cachos al líder del Sindicato del Ingenio para no tener que trabajar nunca, para vivir de sus rentas y dizque de los negocios que siempre se le malograban, y era tan grande aquel latifundio que cuando don Manolo murió todavía quedaba un buen trozo que daba una renta interesante, tan así que los hijos del viejo, dos chamacos ya grandes, con las carreras terminadas, que don Manolo tuvo con la que era su esposa legítima allá en Montiel Sosa, se dejaron caer al pueblo tan pronto supieron la noticia: un infarto fulminante, fue lo que les dijo el médico de Villa cuando los muchachos llegaron a la casa aquella en medio de los cañaverales donde estaban velando el cadáver, y ahí mismo en frente de todo el mundo le dijeron a la Bruja que tenía hasta el día siguiente para largarse de la casa y del pueblo, que estaba loca si creía que ellos permitirían que una furcia se quedara con los bienes de su padre: las tierras, la casa, aquella casa que después de tantos años aún seguía en obra negra, grandiosa y malhecha como eran los sueños de don Manolo, con su escalinata y su barandal de querubines de yeso y los techos altísimos en donde anidaban los murciélagos, y el dinero que según estaba escondido en algún lugar de esa casa, un chingo de centenarios que don Manolo heredó de su padre y que nunca metió al banco, y el diamante, el anillo de diamantes que nadie había visto nunca, ni siquiera los hijos, pero que decían que tenía una piedra tan grande que parecía falsa, una auténtica reliquia que había pertenecido a la abuela de don Manolo, la señora Chucita Villagarbosa de los Monteros de Conde, y que por derecho legal y hasta divino le correspondía a la madre de los muchachos, la esposa legítima de don Manolo ante Dios y ante los hombres, no a la suripanta advenediza rastrera y asesina de la tal Bruja, que se daba los grandes aires de señora pero no era más que una güila que don Manolo sacó de un bohío en la selva para tener con quién desahogar sus más bajos instintos en la soledad de la llanura. Una mala mujer a fin de cuentas, porque quién sabe cómo, tal vez aconsejada por el diablo pensaban algunos, se enteró que había unas yerbas que crecían en el cerro, casi en la punta, entre las viejas ruinas que según los del gobierno eran las tumbas de los antiguos, los que habitaron antes estas tierras, los que llegaron primero, antes incluso que los gachupines, que desde sus barcos vieron todo aquello y dijeron matanga, estas tierras son de nosotros y del reino de Castilla, y los antiguos, los pocos que quedaban, tuvieron que agarrar pa' la sierra y lo perdieron todo, hasta las piedras de sus templos, que terminaron enterradas debajo del cerro cuando lo del huracán del setenta y ocho, cuando el deslave, la avalancha de lodo que sepultó a más de cien vecinos de La Matosa y a las ruinas esas donde se decía que crecían esas yerbas que la Bruja cocinó para convertirlas en un veneno que no tenía color ni sabor ni dejó rastro alguno porque hasta el médico de Villa dijo que don Manolo había muerto de un infarto, pero los hijos necios con que había sido un veneno, y la gente luego culpó también a la Bruja de la muerte de los hijos de don Manolo, pues el mismo día del entierro se los llevó pifas en la carretera, cuando iban de camino al cementerio de Villa, encabezando el cortejo; los dos murieron aplastados por una carga de varillas de fierro que se le soltó a un camión que iba delante de ellos, puro fierro ensangrentado se veía en las fotografías que el periódico publicó al día siguiente, una cosa espantosa porque nadie supo nunca explicar cómo fue que pudo pasar ese accidente, cómo fue que las varillas se soltaron de la trinca y atravesaron el parabrisas y los dejaron todos ensartados, y no faltó el que se agarró de ahí para decir que la Bruja tenía la culpa, que la Bruja les había hecho un maleficio, que con tal de no perder la casa ni las tierras la mala mujer aquella se le había entregado al diablo a cambio de poderes, y más o menos fue en esa misma época que la Bruja se encerró en la casa y ya no volvió a salir nunca, ni de día ni de noche, tal vez por miedo a la venganza de los Conde, o tal vez porque algo ocultaba, un secreto del que no quería apartarse, algo en aquella casa que no quería dejar desprotegido, y se puso flaca y pálida y daba miedo verla a los ojos porque parecía que se había vuelto loca, y eran las mujeres de La Matosa las que le llevaban cosas de comer a cambio de que las ayudara, de que les preparara sus remedios, los menjurjes que la Bruja cocinaba con las yerbas que ella misma plantaba en la huerta de su patio o las que mandaba a las mujeres a buscar al cerro, cuando todavía existía el cerro. Esa fue también la época en que la gente empezó a ver al animal volador que por las noches perseguía a los hombres que regresaban a casa por los caminos de tierra entre los pueblos, las garras abiertas para herirlos, o tal vez para llevár-

selos volando hasta el infierno, los ojos del animal ilumi-
nados por un fuego espantoso; la época también en que
empezaron con el rumor de la estatua aquella que la Bruja tenía escondida en algún cuarto de aquella casa, seguramente en los del piso de arriba, a donde no dejaba pasar
a nadie nunca, ni siquiera a las mujeres que iban a verla, y
donde decían que se encerraba para fornicar con ella, con
esta estatua que no era otra cosa que una imagen grando-
ta del chamuco, la cual tenía un miembro largo y gordo
como el brazo de un hombre empuñando la faca, una
verga descomunal con la que la Bruja se ayuntaba todas
las noches sin falta, y era por eso que ella decía que no le
hacía falta marido, y en efecto, después de la muerte de
don Manolo no volvió a conocérsele hombre alguno a la
hechicera, y pues cómo, si ella misma se la pasaba echando pestes de los varones, diciendo que eran todos unos
borrachos y unos huevones, unos pinches perros revolca-
dos, unos puercos infames, y que antes muerta que dejar
que cualquiera de esos culeros entrara a su casa y que
ellas, las mujeres del pueblo, eran unas pendejas por
aguantarlos, y los ojos le brillaban cuando decía eso y
por un segundo volvía a verse hermosa de nuevo, con los
cabellos alborotados y las mejillas pintadas de rosa por la
emoción, y las mujeres del pueblo se santiguaban porque
podían imaginarla desnuda, montando al diablo y hun-
diéndose en su verga grotesca hasta la empuñadura, el
semen del diablo escurriéndole por los muslos, rojo como
la lava, o verde y espeso como los menjurjes que borbo-
teaban en el caldero sobre el fuego y que la Bruja les daba
a beber a cucharadas para curarlas de sus males, o tal vez
negro como el chapopote, negro como las pupilas inmen-
sas y el cabello enmarañado de la criatura que un día
descubrieron escondida bajo la mesa de la cocina, agarra-
da a la falda de la Bruja, tan muda y enteca que, en silencio, muchas mujeres rezaron para que no durara viva mu-

cho tiempo, para que no sufriera; la misma criatura que tiempo después sorprendieron sentada al pie de las escaleras, con un libro abierto sobre las piernas cruzadas, sus labios chasqueando en silencio las palabras que sus ojazos negros iban leyendo, y la noticia corrió en cuestión de horas porque ese día hasta en Villa supieron que la hija de la Bruja seguía viva, cosa rara porque hasta los engendros que de vez en cuando parían los animales, los chivos de cinco patas o los pollos de dos cabezas, se morían a los pocos días de abrir los ojos, y en cambio la hija de la Bruja, la Chica, como empezaron a llamarla desde entonces, aquella criatura parida en el secreto y la vergüenza, se hacía más grande y más fuerte con cada día que pasaba, y pronto fue capaz de llevar a cabo cualquier quehacer que la madre le enjaretara: cortar la leña y acarrear el agua del pozo y caminar hasta el mercado de Villa, trece kilómetros y medio de ida y trece y medio de vuelta, con las bolsas del mercado y los huacales a cuesta, sin pararse nunca a descansar un instante, mucho menos apartarse del camino o pajarear con las demás chamacas del pueblo, porque de todos modos ninguna se atrevía a hablarle, ninguna siquiera se reía de ella, de sus pelos crespos y enmarañados y sus vestidos harapientos y sus enormes pies descalzos, tan alta y tan desgarbada, briosa como un muchacho y más inteligente que cualquiera, porque después de un tiempo se supo que era la Chica la que llevaba el gasto de la casa, y la que negociaba las rentas con las gentes del Ingenio, que seguían al sobres de aquel pedazo de tierra y aguardaban un descuido de las Brujas para despojarlas con argucias legales, aprovechando que no había papeles, que no había hombre alguno que las defendiera, aunque ni falta que les hacía porque la Chica quién sabe cómo había aprendido a negociar los dineros, y era tan cabrona que incluso un día se apareció por la cocina a ponerle precio a las consultas porque la Vieja —que en ese entonces no pasaba de los cuarenta años pero que parecía ya de sesenta por las arrugas y las canas y todos esos pellejos colgándole—, a la Vieja ya se le iba la onda y se le olvidaba cobrar las consultas, o se conformaba con lo que las mujeres quisieran darle: una panela de piloncillo, un cuarto de garbanzos secos, un cucurucho de limones ya medio podridos o un pollo con gusanera: chingaderas, vaya, hasta que la Bruja Chica puso un alto al desgarriate y un día se apareció en la cocina y con su voz tosca, desacostumbrada a hablar, dijo que los obsequios que las mujeres llevaban no bastaban para cubrir el precio de la consulta y que las cosas ya no podían seguir así, que a partir de entonces habría tarifas según la dificultad del encargo, según los recursos que la madre debiera emplear y el tipo de magia requerida para lograr el cometido, porque cómo iba a ser lo mismo curar unas almorranas que hacer que el hombre ajeno se rindiera por completo a los pies de una, o permitirles hablar con la madre muerta para saber si les ha perdonado el abandono en que la tuvieron en vida, ¿verdad? Así que de ese día en adelante las cosas iban a cambiar, y a muchas esto no les gustó nada, y dejaron de ir los viernes, y cuando se sentían mal iban con ese señor de Palogacho que parecía ser más efectivo que la Bruja porque a él iban a verlo desde la capital, gente famosa de la televisión, futbolistas, políticos en campaña, aunque pues sí era carero y como la mayoría de las mujeres no tenían ni para pagar el viaje en autobús hasta Palogacho mejor le dijeron a la Chica que órale pues, que de a cómo iba a ser entonces, que porque ellas nomás llevaban eso y que entonces qué procedía, y la Chica les mostró los dientes aquellos inmensos que tenía y les dijo que no se preocuparan, que si no les alcanzaba podían dejarle algo en prenda, como los aretes esos que llevabas puestos el otro día, o la cadenita de tu nena o ya de plano una cazuela de tamales de borrego, o la cafetera, la radio, la bicicleta, cualquier enser aceptaba, y si tardaban había que pagarle intereses porque de un día para otro comenzó también a prestar en efectivo, al treinta y cinco por ciento o tarifas peores, y todos en el pueblo decían que esas mañas eran del diablo, que cuándo se había visto que una chamaca fuera tan astuta, que de dónde lo habría sacado, y no faltaba el que decía en la cantina que eso de los intereses era un robo, que había que echarle encima a esa pinche vieja a las autoridades correspondientes, a la policía, que la metieran presa por agiotista y abusadora, qué se creía de andar explotando a la gente de La Matosa y demás rancherías, pero a la mera hora nadie hacía nada, porque quién más iba a prestarles dinero a cambio de posesiones tan miserables, y además nadie quería echarse a las Brujas de enemigas porque la verdad les tenían harto miedo. Si hasta los varones del pueblo se resistían a pasear de noche por esa casa; todo el mundo sabía de los ruidos que provenían de ahí adentro, los gritos y lamentos que se escuchaban desde la vereda y que la gente se imaginaba que eran las dos brujas fornicando con el diablo, aunque otros más bien pensaban que nomás era la Bruja Vieja que se estaba volviendo loca, porque para entonces ya casi no recordaba a la gente y entraba en trance a cada rato, y todos decían que Dios la estaba castigando por sus pecados y sus cochinadas, y sobre todo por haber procreado a esa heredera satánica, porque ya para entonces la Bruja presumía, cuando las mujeres se atrevían a preguntarle quién era el padre de la Chica, un misterio que nadie se aclaraba porque nadie supo bien cuándo llegó la hija al mundo; don Manolo, eso sí, llevaba muerto muchos años ya, y pues no se le conocía marido, no salía de la casa nunca ni frecuentaba los bailes, y en realidad lo que ellas realmente querían saber era si fueron sus propios maridos de ellas los que le hicieron aquella grosería de criatura, y por eso se les ponía la carne de gallina cuando la Bruja se les quedaba viendo con una sonrisa torva y les decía que la Chica era hija del diablo, y por Dios que sí se le parecía, cuando uno se le quedaba viendo a la muchacha y la comparaba con la imagen del chamuco derrotado por San Miguel Arcángel que había en el iglesia de Villa, sobre todo en los ojos y en las cejas, y las mujeres se persignaban y a veces por las noches hasta soñaban que el diablo las perseguía con la verga parada para hacerles un hijo, y se despertaban con lágrimas en los ojos y el interior de los muslos pringados y el vientre adolorido, y corriendo se iban a Villa a confesarse con el padre Casto, que las regañaba por andar creyendo en la brujería; porque también había gente que se reía de todos esos chismes, gente que decía que la Vieja nomás estaba loca y que a la Chica seguramente se la había robado de alguna ranchería, o luego estaban los que decían que la Sarajuana ya de vieja contaba que una noche llegaron a su cantina unos muchachos que no eran de ahí de La Matosa y posiblemente ni siquiera de Villa por la forma en que hablaban, y que ya borrachos empezaron a presumir que venían de cotorrearse a una vieja de La Matosa, una que había matado a su marido y que se las daba de muy bruja, y la Sarajuana enseguida paró la oreja y ellos siguieron contando cómo fue que se le metieron a la casa y cómo la golpearon para que se estuviera quieta y pudieran cogérsela entre todos, porque bruja o no, la verdad es que la pinche vieja esa estaba bien buena, bien sabrosa, y se ve que en el fondo le había gustado, por cómo se retorcía y chillaba mientras se la cogían, si todas son unas putas en este pinche pueblo rascuache, dijeron, y no faltó, porque nunca falta, como bien sabía la Sarajuana, un cabrón que se ofendía de que dijeran que La Matosa era un pueblo rascuache y se las hizo de pedo y se les fue encima y entre todos los que estaban en la cantina les metieron sus buenos vergazos a los chamacos esos, pero al final nadie sacó el machete, quizás porque los tumbaron pronto, o porque hacía demasiado calor para tomarse demasiado en serio la ofensa, y no había mujeres a quienes impresionar en el Sarajuana, ni siquiera las pobres escuálidas esas que subían de las chozas de la costa para prestarse a cambio de cerveza, nada, solo ellos y la Sara, que para entonces ya era para ellos como cualquier otro macho, de esos de cara prieta y bigote obligado y botella de cerveza caldeándose en la mano y el chirrido del ventilador sobre el techo, rajando con esfuerzo la calina que sus cuerpos despedían y la grabadora, *za-ca-ti-to pal conejo*, tronando sola junto a la candela, *tiernito-verde voy a cortar*, frente a la estampa de Martín Caballero, *pa llevarle al conejito*, y la sábila atada con el listón empapado en agua bendita, *que ya-empiezá desesperar, sí señor, cómo no*, y aguardiente de caña, pa conjurar las envidias, explicaba la Bruja, pa devolver el mal a quien lo merece, a quien lo envía. Por eso sobre la mesa de su cocina, mero en el centro, sobre un plato con sal gruesa, había siempre una manzana roja atravesada de arriba abajo con un cuchillo filetero y un clavel blanco que por ahí del viernes por la mañana las mujeres que madrugaban para ir a verla encontraban ya todo mustio y chupado, como podrido, amarilleado por las malas vibras que ellas mismas dejaban en aquella casa, una especie de corriente negativa que ellas creían acumular dentro en tiempos de aflicción y desgracia y que la Bruja sabía cómo purgarles con sus remedios, una miasma espesa pero invisible que se quedaba flotando en el aire viciado de esa casa encerrada, porque pues nadie supo bien cuándo había empezado el pavor de la Vieja a las ventanas, pero para cuando la Chica ya andaba por ahí correteando en la penumbra de salón del otro lado de la cocina, a donde nadie se atrevía a pasar nunca, para ese entonces, y con sus propias manos, la Vieja ya había tapiado todas las ventanas con bloque y cemento y palos y alambrada y hasta la puerta principal de roble casi negro, por donde sacaron el ataúd de don Manolo para llevárselo a enterrar a Villa, hasta esa puerta la tapó con ladrillo y pedacería de madera y cuanto pudo para que ya nunca se abriera y entonces ya solo se podía entrar a la casa por una puertecita que daba a la cocina desde el patio, porque por algún lado tenía que salir la Chica a meter el agua, a cuidar la huerta y hacer el mandado, y como no podía cerrarla entonces la Bruja mandó a poner una reja con barrotes más gruesos que los de las celdas en la cárcel de Villa, o eso era lo que presumía el herrero que le hizo el trabajo, y que cerraba con un candado del tamaño de un puño, cuya llave llevaba siempre la Vieja metida en el corpiño, sobre el seno izquierdo; una reja que cada vez más a menudo las mujeres del pueblo hallaban siempre cerrada, y como no se atrevían a tocar se quedaban ahí esperando hasta que escuchaban, a veces, los gritos y las blasfemias y los alaridos que la Vieja lanzaba mientras azotaba los muebles contras las paredes o contra el suelo, a juzgar por el ruido que se oía desde el patio mientras la Chica —como años después les contaría a las chicas de la carretera— se ocultaba bajo la mesa de la cocina y agarraba el cuchillo y se hacía ovillo ahí abajo, como cuando era niña y todo el pueblo creía y esperaba y hasta rezaba para que se muriera enseguida, para que no sufriera, que porque tarde o temprano el diablo iba a venir a reclamarla como suya y la tierra se partiría en dos y las Brujas caerían al abismo, derechito al lago de fuego del infierno, una por endemoniada y la otra por todos los crímenes que cometió con sus brujerías: por haber envenenado a don Manolo y hechizado a los hijos para que murieran en aquel accidente; por capar a los hombres del pueblo y debilitarlos con sus trabajos y brujerías y, sobre todo, por haber arrancado del vientre de las malas mujeres la semilla implantada ahí por derecho, disolverla en aquel veneno que la Vieja preparaba a quien se lo pidiera, y cuya receta heredó a la Chica antes de morirse, durante aquel encerrón que se dieron en los días previos al deslave del año setenta y ocho, cuando el huracán azotó contra la costa con furia y encono y relámpagos estentóreos tupieron de agua el cielo durante días enteros, anegando los campos y pudriéndolo todo, ahogando a los animales que pasmados por el viento y los truenos no pudieron salir a tiempo de los corrales y hasta a aquellos niños que nadie alcanzó a tomar en brazos cuando el cerro se desgajó y se vino abajo con un fragor de rocas y encinos desenraizados y un lodo negro que arrasó con todo hasta derramarse sobre la costa y convirtió en camposanto tres cuartas partes del poblado ante los ojos enrojecidos por el llanto de los que sobrevivieron, nomás porque alcanzaron a cogerse de las ramas de los mangos cuando el agua se fue sobre de ellos y aguantaron días ahí, abrazados a las copas, hasta que los soldados los sacaron a bordo de lanchas, una vez que el meteoro se disipó tras internarse en la sierra y el sol volvió a brillar por entre las nubes plomizas y la tierra comenzó a endurecerse de nuevo, y la gente, empapada hasta el tuétano, las carnes invadidas de líquenes parecidos a corales diminutos, con sus bestias y los hijos que les sobrevivieron a cuestas, llegaron en tropel a Villagarbosa a buscar refugio, ahí donde el gobierno los mandara: los bajos del palacio municipal, el atrio de la iglesia, y hasta la escuela suspendió las clases para recibirlos durante semanas enteras con sus cachivaches y sus lamentos y sus listas de muertos y desaparecidos, entre los que ya contaban a la Bruja y a su hija la endemoniada porque nadie había vuelto a verlas después del meteoro. Fue muchas semanas más tarde cuando la Chica se apersonó una mañana en las calles de Villa, vestida de negro por completo, negras las medias y negros los vellos de sus piernas, y negra la blusa de manga larga, y la falda y los zapatos de tacón y el velo que se había prendido con pasadores al chongo que recogía sus largos y oscuros cabellos en lo alto de la coronilla, una imagen que pasmó a todos, no sabían si del espanto o de la risa, por lo ridícula que lucía, con el calorón como para cocerle a uno los sesos y esta zonza vestida de negro, había que estar loca, ridícula, qué ganas de hacerle al mamarracho como los travestidos que año con año se aparecían en el carnaval de Villa, aunque la verdad es que nadie se atrevió a carcajearse en su cara, porque fueron muchos los que perdieron a sus seres queridos en aquellos días y al verla en aquel disfraz de parca, con ese andar solemne y a la vez cansino con que la muchacha arrastraba los pies hacia el mercado adivinaron la muerte de la otra, de la madre, de la Bruja Vieja, su desaparición del mundo, sepultada tal vez en el fango que se tragó medio pueblo; una muerte fea que sin embargo a la gente en el fondo le pareció demasiado benévola para la vida de pecado y simonía que llevó la hechicera, y nadie, ni siquiera las mujeres, ni siquiera ellas, las de siempre, las de todos los viernes, tuvieron el valor de preguntarle a la enlutada qué pasaría con el negocio, quién se encargaría de las curaciones, de las brujerías, y tuvieron que pasar años para que la gente volviera a la casa entre los cañaverales, años enteros que La Matosa tardó en volver a poblarse y llenarse otra vez de chozas y tendejones levantados sobre los huesos de los que quedaron enterrados bajo el cerro, gente de fuera, en su mayoría atraída por la construcción de la carretera nueva que atravesaría Villa para unir con el puerto y la capital los pozos petroleros recién descubiertos al norte, allá por Palogacho, una obra para la que se levantaron barracas y fondas y con el tiempo cantinas, posadas, congales y puteros en donde los choferes y los operadores y los comerciantes de paso y los jornaleros se detenían para escapar un rato de la monotonía de aquella carretera flanqueada de cañas, kilómetros y kilómetros de cañas y pastos y carrizos que tupían la tierra, desde el borde mismo del asfalto hasta las faldas de la sierra al oeste, o hasta la costa abrupta del mar siempre furioso en aquel punto, al este; matas y matas y matorrales achaparrados cubiertos de enredaderas que en la época de lluvias crecían a velocidades escabrosas, que amenazaban con tragarse las casas y los cultivos y que los hombres mantenían a raya a punta de machete, encorvados a las orillas de la carretera, en los márgenes del río, entre los surcos de la labor, los pies metidos en la tierra caliente, demasiado ocupados y demasiado orgullosos algunos como para hacerle caso a las miradas melancólicas que les dirigía, desde lejos, desde el sendero de tierra, el espectro aquel que vestido de negro rondaba los parajes solitarios del pueblo, las parcelas en donde trabajaban las cuadrillas de los novatos, los muchachos recién admitidos a sueldo de hambre, lampiños todos, correosos como sogas todos, los músculos de sus brazos y sus piernas y sus vientres estrujados por el trabajo y el sol abrasador y las corretizas en pos de un balón de trapo sobre la cancha del pueblo, al caer la tarde, y las carreras enloquecidas para ver quién llegaba primero a la bomba del agua, quién se tiraba antes al río, quién era capaz de hallar primero la moneda arrojada desde la orilla, quién de todos ellos escupía más lejos, sentados sobre el tronco del amate que colgaba sobre el agua tibia del ocaso, los rugidos y las risas, las piernas torneadas balanceándose al unísono, los hombros pegados unos con otros, las espaldas relucientes en su lustre de cuero bruñido; brillantes y prietas como el hueso del tamarindo, o cremosas como el dulce de leche o la pulpa tierna del chicozapote maduro. Pieles color canela, color caoba tirando a palo de rosa, pieles húmedas y vivas que desde lejos, desde aquel tronco a varios metros de distancia desde donde la Bruja los espiaba, se le figuraban tersas pero firmes y apretadas como la carne acidulada de la fruta aún verde, la más irresistible, la que más le gustaba, por la que suplicaba en silencio, concentrando la fuerza de su deseo en el haz penetrante de su negra mirada, oculta siempre en la espesura o paralizada por el ansia en los linderos de las parcelas, con las eternas bolsas del mandado colgando de sus brazos y los ojos humedecidos por la belleza de toda esa carne lozana, el velo alzado por encima de la cabeza para verlos mejor, para olerlos mejor, para saborear en la imaginación el aroma salitroso que los machos jóvenes dejaban flotando en el aire de la llanura, en la brisa que a finales del año se tornaba en un viento necio que hacía cascabelear las hojas de la caña y los flecos sueltos de los sombreros de palma y las puntas de sus pañuelos colorados y las flamas que corrían por el cañaveral pulverizando las matas mustias de diciembre hasta volverlas cenizas, ese viento que para el Día de los Inocentes ya empezaba a oler a caramelo quemado, a chamusquina, y que acompañaba el vaivén pesado de los últimos camiones cargados de inmensos fardos de caña renegrida alejándose hacia el Ingenio, bajo el cielo siempre nublado, cuando al fin los muchachos enfundaban el machete sin siquiera enjuagarlo y corrían hasta el borde de la carretera a quemar el dinero ganado con el sudor y las fibras de sus cuerpos exhaustos, y entre buche y buche de cerveza templada apenas por la nevera vetusta del Sarajuana que traqueteaba por encima del *tumpa tumpa* de la cumbia, *y lo primero que pensamos, ya cayó*, reunidos en torno a la mesa de plástico, *sabrosa chiquitita, ya cayó*, repasaban los sucesos de las últimas semanas y a veces coincidían en que todos la habían visto, o alguno incluso se la había topado de frente en algún camino, aunque ellos no le decían la Bruja Chica sino la Bruja a secas, y en su ignorancia y juventud la confundían a la vez con la Vieja y con los espantos de los cuentos que las mujeres del pueblo les contaban cuando eran pequeños: las historias de la Llorona, la mujer que mató a su prole entera por despecho y cuyo capricho le valió ser condenada a penar por toda la eternidad sobre la tierra y a lamentarse de su pecado convertida en un espectro horrible, con cara de mula encabritada y patas de araña peluda; o la historia de la Niña de Blanco, el fantasma que se te aparece cuando desobedeces a la abuela y te sales de noche de la casa para hacer cabronadas y la Niña de Blanco te sigue y cuando menos te lo esperas de pronto te llama por tu nombre y cuando te volteas te mueres de espanto al ver su rostro de calavera, y la Bruja era para ellos un espectro semejante pero harto más interesante por verdadero, una persona de carne y hueso que andaba por los pasillos del mercado de Villa, saludando a las marchantas, y no esas mamadas fantasmales que dicen las abuelas y las madres y las tías, pinche bola de viejas argüenderas, que lo que no quieren es que uno ande de cabrón por ahí en los descampados, ¿verdad?, y con lo divertido que es salirse de la casa en la noche y hacer maldades, espantar a los borrachos y tentar a las chamacas cuscas. Qué Bruja ni qué ocho cuartos, coincidían, esa vieja lo que quiere es cabeza, decía un vivillo, si me va a chupar la Bruja que empiece por aquí por el tallo, decía otro, y se agarraba las talegas, y entre la guasa y la risa y los eructos y las palmadas contra la mesa y las carcajadas que más bien parecían alaridos, no faltaba el gañán que se quedaba pensando que con todas esas tierras y con todo ese dinero que supuestamente tenía ahí escondido en cofres y sacos repletos de monedas de oro, que con todas esas riquezas la Bruja esa de los cañaverales bien podía darse el lujo de pagar por lo que ellos daban gratis a las muchachas del pueblo, y a uno que otro borrego perdido que lo andaba mereciendo, ¿verdad? Aunque nadie supo bien quién fue el valiente que se animó primero, el que juntó valor para cruzar la noche hasta llegar al caserón de la hechicera, cuidando bien que no lo vieran pararse frente a la reja, frente a la puerta de la cocina que de pronto se abría para revelar la presencia de una mujer muy alta y muy flaca, el manojo de llaves tintineando entre sus manos de palmas pálidas como cangrejos lunares que por momentos asomaban por las mangas negras de aquella túnica que parecía flotar en la oscuridad. Y es que el resplandor de las brasas que calentaban el caldero apenas alumbraba, aunque sí llenaba la cocina de vapores alcanforados que persistían varios días en el cabello de los muchachos que se fueron atreviendo, por ambición o adrenalina, por morbo o necesidad, a transar con la sombra que todas las noches les esperaba, temblorosa, lo más rápido posible para después correr por la vereda, a través de la campiña hasta llegar a la carretera, de vuelta a la seguridad del Sarajuana, donde el dinero que la sombra te metía en el bolsillo cuando al fin se decidía a soltarte era consumido en cervezas templadas. Y ni siquiera tuve que verle la cara, presumía el patán en turno, a quien quisiera escucharle; ni siquiera había tenido que hacer nada más que soportar sus manos y dejarse lamer por una boca que era también como una sombra que aparecía y desaparecía detrás de la tela áspera y mugrienta que le cubría la cabeza y que apenas se levantaba lo necesario cuando hacía falta pero que nunca desvelaba por completo, y hasta cierto punto ellos se lo agradecían, así como le agradecían el silencio casi absoluto en el que se desarrollaba todo aquello, sin gemidos ni suspiros ni distracciones ni palabras de ningún tipo, solo carne contra carne y un poco de saliva en la negrura brumosa de la cocina o en los pasillos decorados con imágenes de mujeres desnudas cuyos ojos de papel habían sido arrancados con las uñas. Y cuando el chisme de que la Bruja pagaba llegó hasta Villa y el resto de las rancherías de ese lado del río aquello se volvió una procesión, un peregrinar continuo de muchachos y hombres ya hechos que se peleaban por entrar primero y a veces nomás iban a echar bola, a bordo de camionetas y con la radio a todo volumen y cajas de cerveza que metían por la puerta de la cocina y se encerraban adentro y se escuchaba música y un bullicio como de fiesta, para espanto de las vecinas y sobre todo de las pocas mujeres decentes que aún quedaban en el pueblo, para entonces ya plenamente invadido de fulanas y pirujas venidas desde quién sabe dónde, atraídas por el rastro de billetes que las pipas del petróleo dejaban caer a su paso por la carretera, muchachas de poco peso y mucho maquillaje, que permitían, por el precio de una cerveza, que les metieran la mano y hasta los dedos mientras bailaban; muchachas más bien rollizas que parecían embadurnadas de manteca bajo los ventiladores averiados y que después de seis horas de fiesta ya no sabían qué era más cansado: si pasarse una hora sobándole la verga al hombre que las había escogido o fingir que realmente escuchaban lo que les contaba; muchachas más bien veteranas que bailaban solas cuando nadie las sacaba, ahí en medio de la pista de tierra apisonada, borrachas de cumbia y caña, perdidas en el ritmo amnésico del *tumpa tumpa*; muchachas gastadas antes de tiempo, arrancadas desde quién sabe dónde por el mismo viento que enredaba las bolsas de plástico en los cañales; mujeres cansadas de la vida, mujeres que de pronto se daban cuenta que ya no estaban para andarse reinventando con cada hombre que conocían, que ya de plano se reían, con los dientes despostillados, cuando les recordaban sus ilusiones de antaño; las únicas que, animadas por los rumores y los chismes que contaban las viejas del pueblo cuando bajaban a lavar la ropa al río o mientras esperaban su turno en la cola para la leche subsidiada, se atrevieron a ir a ver a la Bruja a su casa perdida entre los sembradíos, y a tocar la puerta hasta que la loca aquella vestida de viuda se asomaba por la puerta entreabierta y ellas le suplicaban que les prestara ayuda, que les hiciera los brebajes aquellos de los que las mujeres del pueblo seguían hablando, los brebajes que amarraban a los hombres y los dominaban por completo, y los que los repelían para siempre jamás, y los que se limitaban a borrar su recuerdo, y aquellos que concentraban el daño en la simiente que esos cabrones les habían pegado en los vientres antes de huirse en sus camiones, y aquellos otros, todavía más fuertes, que supuestamente liberaban los corazones de los resplandores fatuos del suicidio. Fueron ellas las únicas, en suma, a las que la Bruja decidió ayudar y, cosa rara, sin cobrarles un solo peso, lo cual era bueno porque la mayor parte de las chicas de la carretera con dificultad comían una vez al día y muchas no eran dueñas ni de la toalla con la que se limpiaban los humores de los machos con los que cogían, aunque tal vez al final lo hiciera porque a las chicas de la carretera no les avergonzaba caminar hasta allá con la cara descubierta y las nalgas bien paradas y sus voces cascadas por el humo y el desvelo, gritando: Bruja, Brujita, ábreme la puerta, cabrona desgraciada, que ya volví a cagarla de nuevo, hasta que la Bruja se asomaba, vestida con su túnica negra, y el velo torcido que a la luz del día, en la cocina revuelta, con el caldero volcado y el piso mugroso y salpicado de sangre seca, no bastaba para disimular los moretones que le inflaban los párpados, las costras que partían la boca y las cejas tupidas; las únicas a las que a veces la bruja les confesaba sus propias cuitas, tal vez porque ellas comprendían y sentían en carne propia lo cabrón que era el vicio de los hombres, y hasta le hacían bromas y la cabuleaban para que se riera, para que olvidara los golpes y hablara y dijera en voz alta los nombres de los cabrones que le habían pegado, los que entraban a su casa y le volteaban los muebles patas p'arriba porque andaban erizos y querían dinero, el tesoro que la Bruja dizque escondía en aquella casa, las monedas de oro y el anillo aquel con un diamante que según esto era tan grande como un puño, aunque la Bruja les juraba que no era cierto, que no había ningún tesoro, que ella vivía de la renta de las tierras que quedaban, unas parcelas repartidas alrededor de la casa en donde el Sindicato del Ingenio sembraba caña, y nomás había que ver cómo vivía, en un cuchitril lleno de cachivaches y cajas de cartón ya podrido, y bolsas de basura llenas de papeles y trapos y rafia y olotes y bolas de pelo caspiento y de polvo y cartones de leche y botellas de plástico vacías, pura pinche basura, puras pinches porquerías que los abusadores aquellos pisoteaban y rompían en su intento por abrir la puerta del cuarto de la planta de arriba, la recámara que desde hacía años, desde la época de su madre, permanecía cerrada, atrancada desde adentro por la Vieja, cuando en uno de sus ataques alucinados movió todos los muebles de la habitación contra la puerta de roble macizo, de tal forma que solo la masa y la fuerza de los siete uniformados que constituían el brazo de la ley de Villagarbosa, incluyendo los ciento treinta kilos del comandante Rigorito, lograron finalmente vencer, el mismo día que el cadáver de la pobre Bruja apareció flotando en el canal de riego del Ingenio. Una cosa espantosa, dijo la gente, porque cuando los chamaquitos esos la encontraron el cuerpo ya estaba todo inflado y los ojos se le habían salido y los animales le comieron parte de la cara y parecía que la pobre loca sonreía, espantoso, pues, una putada, carajo, si ella en el fondo era bien buena y siempre las estaba ayudando y no les cobraba nada ni les pedía nada a cambio más que un poquito de compañía; por eso fue que se animaron, entre todas las chicas de la carretera y una que otra que trabajaba en las cantinas de Villa, a juntar aquel dinerito para darle un entierro digno al pobre cuerpo podrido de la Bruja, pero esos ojetes del Ministerio de Villa, que vayan y chinguen todos a su puta madre, por inhumanos, no quisieron entregarles el cadáver a las mujeres, primero que porque era la prueba del delito y que las diligencias aún no terminaban, y luego que porque ellas no tenían papeles que demostraran parentezco con la víctima, y que por eso no tenían derecho a hacerse con el cuerpo, pinches culeros: qué papeles podían enseñarles si nadie en el pueblo supo nunca cómo se llamaba aquella pobre endemoniada; si ella misma nunca quiso decirles su nombre verdadero: decía que no tenía, que su madre nomás le chistaba para hablarle o la llamaba zonza, cabrona, jija del diablo, le decía, debí matarte cuando naciste, debí tirarte al fondo del río, pinche Vieja, pinche culera, pero bien mirado sus motivos tenía para recluirse de aquella manera, después de lo que esos culeros le hicieron; pobre Bruja, pobre loca, ojalá que de menos sí agarren al chacal o los chacales que le rebanaron el cuello.

III

Ese día, Yesenia se había ido a bañar al río temprano, y lo vio cuando ya iba de salida. Venía dando tumbos por la vereda, descalzo y sin camisa, con una lata chamuscada contra el pecho y las rodillas descarapeladas por haberse tropezado en el camino. Seguramente iba borracho o drogado porque encima de que se atrevió a acercársele, todavía tuvo el descaro de preguntarle a Yesenia que cómo estaba el agua del río, y ella, sin dignarse a mirarlo siquiera, ofendida en lo más profundo de que su primo le hubiera dirigido la palabra, como si nada hubiera pasado entre ellos, como si no llevaran ya tres años sin hablarse, y de la forma más cortante que pudo, le dijo que el agua estaba clarita, y le dio la espalda y se marchó para la casa pensando en todo lo que tendría que haberle dicho al cabrón chamaco ese, todo lo que sus chingaderas habían ocasionado, puras desgracias para la familia: la enfermedad de la abuela, nomás para empezar, el coraje aquel que la dejó paralizada de la mitad de este lado y, al año, la caída en donde se rompería la cadera y de la que todavía no se recuperaba, y tal vez no lo haría nunca porque nomás había que ver cómo la pobre se ponía cada vez más flaca y más transparente, aunque todavía conservaba el genio de la chingada de toda la vida y se la pasaba jodiendo a Yesenia con el pinche chamaco, que cuándo iba a ir el cabrón a verla, que por qué no quería presentarle a su señora. Porque quién sabe cómo se había enterado del chisme, si nomás cuando le convenía era sorda y seguramente había escuchado a las argüenderas de las Güeras contar que el chamaco se había juntado con una muchacha de fuera y que se la había llevado a vivir al jacal ese que había levantado detrás de la casa de su chingada madre; todo el tiempo chingue y jode a Yesenia: que cómo era la dichosa muchachita aquella, que por qué se habían juntado así nomás, ¿acaso estaban esperando criatura? ¿Era trabajadora la chamaca esa? ¿Sabía guisar y lavar la ropa? Quería saberlo todo y quería que Yesenia se lo contara, como si ella no llevara años enteros sin dirigirle la palabra al pinche chamaco baboso ese, desde aquel día en que lo cachó haciendo sus cochinadas y el muy cobarde prefirió largarse para siempre de la casa que tener que enfrentar a Yesenia y escuchar las verdades que ella le echaría en cara, ahí enfrente de la abuela, para que la vieja al fin se diera cuenta de la clase de fichita que era su nieto, pinche maricón cobarde, pinche vividor que ni las gracias dio nunca por todo lo que la abuela hizo por él, todo lo que tuvo que soportarle, porque si no hubiera sido por la abuela ese pinche chamaco se hubiera muerto, porque la puta esa que lo parió lo tenía todo abandonado y gusaniento, todo zurrado y muerto de hambre en un huacal mientras ella se daba la gran vida puteando en la carretera. Qué coraje le daba a Yesenia ponerse a pensar en esas cosas, de verdad que hasta el hígado le dolía cada vez que se acordaba de ese pinche chamaco ingrato, y en lo pendeja que su abuela se vio cuando se ofreció a criárselo al cabrón del tío Maurilio, sabiendo perfectamente que la pinche vieja esa con la que andaba era puta de oficio, capaz de abrirse de piernas y de verijas ante cualquiera que tuviera dinero para pagarle. ¿Qué no se daba cuenta de que el chamaco ese ni siquiera se parecía a Maurilio?, le dijo la tía Balbi cuando se enteró de que la abuela se estaba encargando del escuincle. ¿Qué no se daba cuenta de que no se parecía a nadie de la familia?, dijo la Negra, la mamá de Yesenia, cuando llegó a la casa y vio que la abuela llevaba aquel chamaco mugroso prendido al cuello como un chango. Qué se me hace que entre el Maurilio y la pinche vieja cochina esa le vieron a usted la cara de pendeja, mamacita; me extraña que con esa mente tan cochambrosa que tiene para andar siempre pensando lo peor de nosotras, me extraña que no se acuerde de eso de que "hijos de mis hijas, mis nietos; hijos de mis hijos, sepa su chingada madre". Pero no lograron convencerla, por más que le dijeron que criar a ese chamaco como si fuera de la familia era un error, que el Maurilio seguramente ni era el padre, que mejor por qué no lo llevaban al hospicio, pero no, ni madres, no hubo poder humano que la convenciera. ¡Cómo iba dejar doña Tina desamparada a esa pobre criatura, su único nieto varón, el hijo de su adorado Maurilio, que estaba tan enfermo, el pobre, que no podía hacerse cargo del niño! Cómo iba a decirle que no a Maurilio, el único que se sacrificó por ella y dejó la escuela cuando recién llegaron a La Matosa, para ayudarla a poner la fonda, mientras que ustedes dos nomás se la pasaban de putas, metiéndose con los traileros y los peones del Ingenio, les reclamó la abuela. Porque para variar y no perder la costumbre, la abuela cuando estaba enchilada nomás se acordaba de las cosas malas, y como Maurilio era su consentido, le gustaba decir que él se había sacrificado por ella, para que el negocio saliera adelante, pero todo eso era pura cábula que la vieja se contaba a ella misma para convencerse de que Maurilio realmente la quería, porque en realidad el cabrón se salió de la escuela porque era bien burro y holgazán y lo único que le gustaba era el jelengue y se la vivía metido en las cantinas de la carretera, cantando y tocando la guitarra esa que un borrachito dejó empeñada un día en la fonda de la abuela y por la que ya nunca regresó; una guitarra que Maurilio aprendió a tocar él solo, sin que nadie le enseñara, nomás pulsando las cuerdas y escuchando los sonidos que salían de la caja, solito debajo de la morera que tenían atrás en el patio, y con eso y así nomás viendo cómo tocaban los jóvenes de las misiones en la misa de Villa, con eso tuvo para aprender a tocar canciones enteras y hasta inventarse él mismo algunas tonadas a las que les ponía coplas indecentes, y cuando ya lo tuvo todo bien amarrado llegó con la abuela y le dijo: doña Tina, porque así la llamaba siempre, por su nombre, no mamá o mamacita, siempre doña Tina, pinche igualado; doña Tina, le dijo: ya me voy a trabajar a la carretera, ahora soy músico, no me esperes ni desesperes, yo te voy a mandar unos centavos tan pronto pueda para que te ayudes, y se fue el cabrón, así nomás por sus huevos, y hasta eso, le fue bien tocando en las cantinas porque estaba chico y le caía bien a la gente y a los borrachos les hacía gracia que un pinche chamaco sombrerudo los albureara, y en ese entonces la música del norte ya empezaba a hacerse famosa y eso también agradaba, porque a Maurilio lo que más le gustaba tocar eran los corridos, si hasta se vestía como norteño y todo, así sale siempre en las fotos de esa época, con su pantalón de mezclilla y sus botas picudas y el cinturón pitiao y el sombrero metido hasta las cejas, con una cerveza en la mano y el cigarrote en la boca y las viejas rodeándolo. Dicen que tenía harto pegue con las viejas, más por esa facha de cabrón sacalepunta que por la música, porque la verdad es que el cabrón era más bien malo, y por eso nunca pudo entrar a tocar a un conjunto ni hacer dinero de a deveras con la música; lo suyo era más andar limosneando que otra cosa, y por eso nunca podía darle dinero a la abuela; al contrario, seguía siendo una carga para ella, todo el tiempo ayudándolo y prestándole dinero que el cabrón nunca le regresaba, y encima tenía que andar llevándolo a cada rato a que lo curaran cuando le rompían su madre en las parrandas, e incluso durante varios años hizo el tremendo sacrificio de ir a visitarlo a la cárcel del Puerto, todos los domingos sin falta iba la abuela a ver al tío Maurilio que estaba preso por su chingada gracia de haber matado a un señor de Matacocuite, y todo por culpa de una pinche vieja casada que el perro de Maurilio andaba rondando. La vieja no aguantó la madriza que el marido le puso y acabó despepitando todo, y un día que el tío Maurilio llevaba chupando varios días seguidos le vinieron a decir que había un tipo que andaba preguntando por él en Villa, un tipo que decía que quería quebrarse a Maurilio Camargo por haberse metido con su esposa, y el tío Maurilio se paró de la mesa en donde había estado chupando y dijo pues de que lloren en mi casa a que lloren en la suya, mejor que lloren en la suya, y dejó encargada la guitarra y se fue de raite a Villa, a encarar su destino, y tuvo tanta suerte que se topó con el viejo cornudo mientras este estaba meando en el baño de una cantina, y así de espaldas y sin dejarlo explicarse, le metió unos piquetes con una navaja que el tío Maurilio llevaba siempre metida en la bota, y así fue como acabó en la cárcel del Puerto, preso por homicidio doloso, nueve años de pena corporal, nueve años seguidos que doña Tina estuvo yendo a verlo todos los domingos, para llevarle sus *raleighs* y sus centavos y su jabón y una despensita que ella misma cargaba desde Villa, a solas, porque no le gustaba que Yesenia o las otras chamacas la acompañaran porque luego los presos nomás las estaban morboseando, y como le daba miedo perderse en los tranvías del Puerto se iba caminando desde la estación de autobuses hasta la cárcel para ver a su hijito adorado, el único varón y que Dios le había dado y quitado tan pronto, en la flor de la juventud, apenas un año después de que el cabrón saliera de la cárcel, porque quién sabe qué enfermedad agarró ahí dentro; la abuela decía que no era nada, que eran los humores del encierro lo que lo tenían tan débil y alicaído, deprimido además porque la puta esa con la que vivía hacía mucho que se había largado con otro. La Negra y la Balbi estaban seguras de que Maurilio estaba enfermo de sida, y no dejaban que las chamacas se acercaran al tío, no fuera a contagiarlas de su porquería, pero al final la abuela no pudo seguir negando que el cabrón se estaba muriendo, y en un intento desesperado por salvarlo decidió internarlo en el sanatorio más caro de Villa, el que construyeron para los petroleros, y para pagar la cuenta y las medicinas no le quedó de otra más que vender la fonda, el terreno al pie de la carretera, y la Negra y la Balbi pegaron el grito en el cielo y se jalaron de los pelos cuando supieron lo que la abuela había hecho, porque cómo era posible que su madre hubiera decidido vender el único patrimonio que tenían, por el que tanto habían luchado todos esos años, que ahora de qué iban a vivir, si de todos modos el cabrón de Maurilio iba a morirse, si hasta los médicos ya mejor decían que no tuvieran esperanzas, que mejor fueran agilizando los trámites para el entierro, y la abuela se puso como loca cuando dijeron eso y las acusó de arpías cizañosas, codiciosas sin remedio, si la fonda era de ella, de ella sola, y si no les gustaba la idea de venderla pues entonces podían largarse a la mierda, bola de víboras ponzoñosas, egoístas, envidiosas, cómo se atrevían a decir que Maurilio no iba a salvarse si, Dios mediante, todavía le quedaba mucha vida por delante, para ver crecer a su hijo y tener muchos otros más, y entonces la Balbi y la Negra dijeron: pues a la mierda entonces, a la mierda contigo y con la fonda y con el pocos huevos de Maurilio, nos vamos y no volverás a vernos jamás, ni a nosotros ni a nuestras hijas. Y agarraron sus chivas y a las chamacas, pero la abuela se les fue encima y las jaloneó en la puerta y dijo que estaban locas si creían que ella iba a permitir que se llevaran a las niñas, para volverlas igual de putas que ustedes, ¿verdad? La Negra y la Balbi podían largarse a la chingada pero las chamacas se quedarían con ella, y por más que las otras gritaron y patalearon la abuela no soltó prenda y tuvieron que largarse solas al norte, donde decían que había mucho trabajo por los pozos petroleros, y no volvieron a La Matosa ni siquiera cuando el tío Maurilio finalmente estiró la pata, y qué bueno que no regresaron porque les hubiera dado chorro de ver cómo la abuela se gastó el dinero que no tenía para darle a su hijito santo el entierro que según ella se merecía, un entierro de esos que hacía años ya no se veían en el pueblo, con tamales de borrego para todos los presentes y conjunto norteño y mariachis y cajas y cajas de aguardiente de caña para que todo el mundo se pusiera bien pedo y llorara al Maurilio con harta enjundia, y luego todavía hasta le mandó a construir una tumba que más bien parecía capilla, y en la parte principal del cementerio de Villa, la más importante, porque doña Tina no podía enterrar a su hijito adorado en los lotes baratos, ¿verdad?, donde a los diez años sacaban los cuerpos para meter otros y ella todavía no sabía si viviría otros diez años más y ¿qué pasaría entonces con los restos del pobre Maurilio? Terminarían en la fosa común por culpa de esas víboras rastreras que tenía por hijas, y fue por eso que se decidió por uno de esos lotes a perpetuidad que costaban un ojo de la cara, más de lo que costaba la casa de La Matosa, una cantidad ridícula de dinero por el privilegio de codearse con los huesitos de los fundadores del pueblo: los Villagarbosa, los Conde, y sus primos los Avendaño, que descansaban en sus tumbas elegantiosas de mármol y azulejo, y ahí mero en medio de ellos quedó la tumba pintada de amarillo canario del cabrón de Maurilio Camargo. La abuela tardó años enteros en pagar el velorio y la tumba con el dinero que sacaba vendiendo jugos en un triciclo, mero a la entrada de Villa, a la altura de la gasolinera. Hasta cuando estaba enferma tenía que pararse de madrugada para pedalear hasta el mercado y llenar el triciclo de costales de naranjas y zanahorias y betabeles y mandarinas y mango en temporada, mientras que Yesenia se quedaba en casa a cuidar a las primas más chicas y al pinche chamaco ese que nomás creció para volverse un infeliz cabrón desgraciado que le hacía la vida imposible a Yesenia, que por ser la mayor tenía que apechugar a huevo con la responsabilidad de la casa y de las primas y del pinche chamaco cuando la abuela no estaba, y por lo tanto era quien se llevaba siempre la chinga más pesada y las cuerizas de la vieja cuando las cosas salían mal, cuando las cosas no se hacían como la abuela quería, y era también Yesenia la que tenía que responder por las maldades de su primo, cuando las vecinas iban a la casa a quejarse de que el pinche chamaco se robaba los refrescos de la tienda, de que el pinche chamaco se metía a sus casas y se comía su comida y les agarraba las cosas y el dinero que se encontraba y les pegaba a los niños más chicos, y que le daba por jugar con cerillos y que casi quema el cobertizo de las Güeras con todo y gallinas, y total que era Yesenia la que tenía que andar siempre pidiendo disculpas por el chamaco, pagando los daños que ocasionaba, poniendo su cara de pendeja y luego encima aguantarse el coraje de ver que la abuela nunca castigaba las cabronadas que el pinche chamaco había hecho en su ausencia: qué va a ser, decía siempre, cuando Yesenia le echaba la letanía de chingaderas que su nieto había hecho durante el día; si nomás es un chamaco, no tiene malicia, son cosas de niños, Lagarta, déjalo ser, pobrecito, su papá era igual de travieso y el chamaco se le parece, son igualitos, decía la abuela, aunque era mentira, pero a ella le gustaba hacerse pendeja y decía que eran iguales, igualitos, como dos gotas de agua, aunque en lo único en lo que se parecían era en lo huevones y en lo lacras, y en lo lambiscones que eran con la abuela, que siempre los dejaba hacer su reverenda voluntad, y por eso el chamaco ese creció para convertirse en un animal salvaje que nomás tiraba pal monte cada vez que lo dejaban suelto, incluso a deshoras de la noche, porque según la abuela esa era la forma en que se criaba a los varones para que no le tuvieran miedo a nada, pero era Yesenia la que tenía que andar cazándolo para que se lavara, para poder coserle la ropa toda desgarrada, y pizcarle los piojos y las garrapatas que agarraba en el monte y arrastrarlo a la escuela cada mañana, entre chingadazos y coscorrones que Yesenia le acomodaba para que obedeciera, aunque claro que nunca le pegaba enfrente de la abuela, solo cuando estaban a solas, en esos frecuentes momentos en los que Yesenia se hartaba de gritarle y perdía el control y agarraba a su primo de los pelos y le tundía el cuerpo flacucho a puñetazos y varias veces lo aventó contra la pared con ganas de que se muriera, de que reventara el cabrón renacuajo ese y dejara de una vez de fastidiarla, de lastimarla, de llamarla siempre con ese apodo que la abuela le puso de chica y que Yesenia odiaba con toda su alma y que se le había pegado de tal forma que todo el pueblo la conocía ya como Lagarta, por fea, prieta y flaca recitaba la abuela, igualita a un teterete parado sobre dos patas. Lagarta, Lagarta, canturreaba el chamaco baboso, tiene pelos en la cucaracha, ahí mero en el camión hacia Villa o en la fila de la masa, frente a la gente chismosa que lo escuchaba todo y que se reía, y a ella no le quedaba de otra más que reventarle el hocico de un manazo, cállate, pinche chamaco lépero, y pellizcarlo donde pudiera y gozar furiosamente cuando sentía que la carne del niño se rajaba bajo sus uñas, un placer que se parecía mucho al alivio que sentía cuando se rascaba un piquete de mosco hasta sacarse sangre, y tal vez el chamaco también percibía una suerte de alivio, porque después de los madrazos siempre se tranquilizaba y hasta dejaba de molestarla, pero luego la abuela veía los moretones y los arañazos, y todos los chingadazos que Yesenia tenía que meterle al chamaco para que se aplacara luego luego los recibía ella duplicados en su propia carne, con la pita mojada esa que la abuela usaba para pegarles, sobre las nalgas o la espalda, o hasta en la jeta, si te apendejabas y no te la cubrías con las manos, hasta que Yesenia chillaba y le suplicaba que se detuviera, que la perdonara, y a veces la chinga le tocaba también a la Bola, o a la Picapiedra, y a veces incluso a la Baraja, a pesar de que era la mejor portada de todas, la que nunca se atrevía a repelarle a la abuela, mientras el chamaco nomás se quedaba paradote viendo cómo la vieja les pegaba y las llamaba arrimadas, arrastradas, inútiles, peor que animales, hubiera sido mejor que las putas de sus madres se las llevaran, o que las regalaran en la calle para que terminaran en el reformatorio, donde las lesbianas violan a las niñas con palos de escoba, pinches cabronas, son unas busconas, les gritaba, porque de repente a la abuela se le iba la onda y confundía a Yesenia con la Negra, o a la Picapiedra con la Balbi, y les reclamaba cosas que las pobres ni siquiera hacían, como escaparse por la noche para irse de golfas con los hombres, y todo por culpa de la pinche Bola, que cuando cumplió quince años empezó a salirse a escondidas por las noches para ir a los bailes de Matacocuite, en compañía de una de las Güeras más chicas, y para pagarse el autobús y la entrada la gorda infeliz empezó a sacarle dinero a la abuela del monedero, lo que eran las ganas de andar de cábulas y de tener novio, hasta que una noche la abuela se dio cuenta de que la Bola no estaba en la cama con las demás, y a punta de reatazos nos levantó a todas y nos mandó a buscar a la cabrona por todo el pueblo, y pobres de ustedes si regresan sin ella, nos dijo, y no nos quedó de otra más que recorrer toda La Matosa, casa por casa, alborotando a los perros y despertando a la gente que de seguro al día siguiente iban a estar diciendo que seguramente la Bola ya no era señorita, y despés de un rato Yesenia tuvo que cargar a la Baraja, y arrear a patadas a la Picapiedra, que para entonces todavía estaba muy chica y lloraba porque tenía mucho sueño, y así les dieron las dos de la mañana sin encontrar a la Bola por ninguna parte, y como no se atrevían a regresar a la casa por miedo a la abuela, se escabulleron en el patio de la Güeras, cuyos perros ya las conocían y no trataron de morderlas, para esconderse dentro del cobertizo de las gallinas y cuál no sería su sorpresa si ahí mismo hallaron a la maldita Bola de mierda, que se había escondido ahí mismo cuando le dijeron que la abuela estaba furiosa con ella y que había mandado a sus primas a buscarla por todo el pueblo. Yesenia tuvo que sacarla de los pelos del cobertizo, y del puro escándalo acabaron despertando a doña Pili, la mamá de las Güeras, que se ofreció a acompañarlas de regreso a la casa de la abuela, según ella para calmar a doña Tina, pero seguro que lo que quería era echarse el chisme caliente, pinche vieja moscamuerta, de cómo la Bola entró llorando y la abuela nomás se le quedó viendo y luego cuando vio que también venía doña Pili nomás meneó la cabeza como decepcionada y las mandó a dormir a todas, pero ninguna pudo pegar el ojo por la angustia de no saber a qué hora iba a entrar la abuela al cuarto a pegarles, porque ya sabían bien cómo se las gastaba la vieja: nunca, nunca se le escapaba nada, pero a veces fingía que sí para agarrarlas de sorpresa con la pita, el mecate ese que usaba para tundirles las nalgas cuando ya estaban en la cama, a punto de quedarse dormidas, o terminando de bañarse, como finalmente agarró a la Bola dos días después. ¿Te acuerdas, gorda? Te agarró cantando en el baño, toda mojada y encuerada, y además de la madriza te dijo que a partir de ese día te olvidaras para siempre de la escuela porque ibas a acompañarla a vender jugos, para que vieras lo que costaba ganarse el dinero, y eso te dolió más que todos los guamazos que la abuela te había dado en toda tu vida juntos, ¿verdad? Pobre gorda, siempre tuvo la ilusión de terminar sus estudios y volverse maestra, pero nada de eso pasó porque si bien ella decía que tarde o temprano algún día terminaría la secundaria, al año de que la abuela la sacó de la escuela la pendeja ya estaba enferma de su hija la Vanessa y ya nunca pudo regresar a sacar su certificado. Quién sabe cómo le hacía la vieja para nomás de mirarte ya saber que habías hecho una maldad, como si sus ojos fueran dos rayos que atravesaban tu coco y veían todo lo que sucedía ahí dentro, todo lo que estabas pensando en ese momento. Y quién sabe cómo le hacía también para castigarte en donde más te dolía. Lagarta por ejemplo nunca pudo olvidar la noche en que la abuela la peló con las tijeras de descuartizar el pollo, aquella vez que se dio cuenta de que Yesenia también a veces se escapaba de la casa por las noches, pero no para largarse a los bailes o para andar de cábulas con los hombres como la pinche güila de la Bola, no, sino para seguir al chamaco, ver a dónde se metía y cacharlo en uno de esos malos pasos de los que todo el mundo hablaba, y así exhibirlo enfrente de la abuela, que finalmente ella viera lo canalla y degenerado que era ese pinche chamaco, cómo se la pasaba borracho y drogado todo el tiempo, dando tumbos por las veredas del pueblo, como ese día que Yesenia lo vio en el río, ese día que se levantó tempranito para irse a bañar con las primeras luces del alba y lo vio bajar hacia la playa, descalzo y sin camisa, con el pelo revuelto como un nido de víboras y los ojos dilatados y enrojecidos por tanta droga y la mirada perdida en quién sabe qué visiones, hablando solo como uno de esos loquitos que aparecen de pronto por la carretera, caminando de arriba abajo sin rumbo, con aquella lata toda chamuscada y las manos sucias de hollín y los labios estirados en una sonrisita idiota cuando le preguntó a Yesenia que cómo estaba el agua, y ella, sin mirarlo siquiera, atarantada por el coraje que sintió de que el baboso aquel se atreviera a dirigirle la palabra, nomás atinó a decir que estaba clarita, antes de alejarse del lugar con un dolor sordo atravesado en las tripas, y todo el camino de vuelta a la casa pensó en todas las cosas que hubiera querido decirle, todos los reclamos que desde hacía tres años Yesenia le tenía guardados a ese pinche chamaco baboso hijo de su perra madre, si tan solo el muy cabrón no la hubiera agarrado desprevenida. Aquella era la primera vez que se lo topaba de frente en los caminos del pueblo, porque el muy maricón se escondía de ella y nomás salía por las tardes, o por las noches, como un chingado vampiro, para juntarse con los malvivientes esos que nomás se la vivían drogándose y emborrachándose y robando a los incautos que cruzaban el parque de Villa por la noche, y agarrándose a madrazos y a botellazos con los otros rufianes que frecuentaban las cantinas de los portales, o rompiendo los focos de las farolas y orinando sobre las paredes y las cortinas de los negocios cerrados que rodeaban el parque; muchachos sin oficio ni beneficio, huevones todos sin excepción, inútiles y mantenidos, una panda de drogadictos enfermos de la mente; bueno sería que los metieran a todos a la cárcel, que se los madrearan ahí dentro y los violaran y luego los desaparecieran para ver si así eran tan machos como cuando manoseaban a las chamaquitas, y hasta a los chamaquitos, que cometían la imprudencia de pasar por el parque cuando ellos estaban reunidos. Como si la policía no supiera, carambas, el desmadrito que esos cabrones se tienen con el dueño del hotel Marbella, de dónde sacan entonces el dinero para comprar la droga que se meten si no es ahí mismo en el parque, en lo oscurito, o en los baños de las cantinas y los antros de la carretera, o detrás del almacén abandonado de los ferrocarriles, donde todo el mundo sabe que los putos hacen sus cochinadas, como los perros, a plena luz del día. A Yesenia misma le constaba todo esto, con sus propios ojos lo había visto y no le alcanzaban los dedos de las manos ni los de los pies juntos para enumerar la cantidad de veces que tuvo que ir a sacar al pinche chamaco de esos lugares, porque el cabrón tenía días sin aparecer y Yesenia ya no podía seguir engañando a la abuela, y finalmente esas pinches Güeras siempre llegaban de chismosas a contarle a la vieja lo que se decía del chamaco en el pueblo, aunque la abuela siempre lo negaba todo y decía que eran puras mentiras, que su nieto no andaba en esas mañas, que él estaba en Gutiérrez de la Torre, trabajando en la colecta del limón, y que todo eso de que se la vivía ahí metido en casa de la Bruja era puro cuento, pura calumnia de la gente envidiosa que no tenía otra cosa mejor que hacer que andar inventando argüendes, y en ese entonces Yesenia todavía se quedaba callada, todavía no se atrevía a decirle la verdad a la abuela, lo que ella había visto con sus propios ojos, lo que las Güeras le contaban a todo el que quisiera escucharlas; lo que la tía Balbi había vaticinado desde el principio, desde aquel día que la abuela llegó con ese pinche chamaco mugroso a la casa: te va a salir igual de vicioso que Maurilio, o hasta peor, porque del tío Maurilio se decían cosas muy feas, como que era bien pedote y bien perdulario y que vivía de las mujeres y que en sus últimos años le dio por la droga, y hasta decían que así fue como agarró la enfermedad aquella que se lo chupó en vida, pero al menos de él nunca dijeron que frecuentaba a los maricones del pueblo, ni que se la vivía metido en casa de la Bruja, en las orgías esas que ahí se organizaban y que Yesenia había visto con sus propios ojos una noche, esa noche, la misma en que la abuela la peló a tijeretazos y la mandó a dormir al patio, como el perro que era, le dijo. A ella no había hecho falta que las Güeras le contaran nada; ella lo había visto todo y había regresado corriendo a la casa para despertar a la abuela y contarle las cochinadas que su nietecito santo hacía en aquel mismo momento, para ver si así la vieja se desengañaba y se daba cuenta de una vez de la clase de alimaña que había criado bajo su techo, y dejara de echarle la culpa de todo a Yesenia, que porque ella era la mayor de todos y que por eso debía cuidar del primo y no andar inventando esos chismes que luego las Güeras contaban como si fueran verdad, calumnias que la gente ociosa luego repetía. Porque la abuela no le había creído nada; la abuela se le había quedado viendo con ojos de furia y le había dicho pinche Lagarta, nada más a ti se te pudo ocurrir una mentira tan horrible y espantosa, estás enferma de la mente, la tienes llena de cizaña. ¿No te da vergüenza andar de golfa en las calles por la noche, y encima echarle la culpa a tu primo? Yo te voy a quitar las ganas de andarte escapando, cabrona de mierda. Le había tusado el pelo con las tijeras de descuartizar el pollo mientras Yesenia permanecía inmóvil como tlacuache bajo los faros de los camiones en la carretera, por miedo de que las hojas heladas le cortaran la carne, y después había pasado la noche entera en el patio, como la perra que era, había dicho la abuela: la bestia inmunda que no merecía ni un jergón pulguiento bajo su pellejo apestoso. Tardó un buen rato en sacudirse los cabellos que se le pegaban a la ropa, en secarse todas las lágrimas que le brotaban de los ojos, y cuando al fin se acostumbró a la oscuridad de la noche, cogió la pita que servía de tendedero y la desató para azotar con ella las paredes de la casa, hasta tumbarles el yeso inflado por la humedad, y luego se fue sobre los arbustos que crecían debajo de la ventana de la cocina, hasta dejarlos pelados, y bueno fue que en ese entonces ya no tenían borregos, porque esa noche hubiera sido capaz de azotarlos con la pita hasta reventarlos, o hasta que sus primas salieran a detenerla, y bueno fue también que el pinche chamaco ya nunca regresó a la casa de la abuela, porque Yesenia se había propuesto matarlo. Se pasó toda la noche en la oscuridad del zaguán, con un machete sin filo en la mano, dispuesta a sorprender al pinche chamaco cuando llegara dando tumbos por la vereda, con esa sonrisa pendeja en la cara, porque para ese pinche chamaco todo era cosa de risa, todo era pura pinche guasa, hasta los golpes que Yesenia le propinaba y los ruegos y el llanto de la abuela, todo le valía madres, no pensaba más que en sí mismo, o tal vez ni eso, porque seguramente la droga le quitaba la capacidad de razonar y seguramente ya no pensaba nunca en nada, ni sentía el sufrimiento que le causaba a todos, igual que el cabrón de su padre: ya verán, dijo la Balbi, de tal palo tal astilla; hijo de tigre pintito, o de tigra más bien, le reviró la Negra, porque ese pinche chamaco va a salir igual de cochino que la puta de su madre, de la que se contaban cosas más feas aún en el pueblo, y hasta se decía que por su culpa se habían muerto ya siete hombres, siete choferes de la misma compañía de transporte, y todos de sida, siete hombres muertos, o tal vez ocho contando al tío Maurilio si uno le hacía caso a las murmuraciones, y lo peor de todo es que la maldita vieja seguía enterita, como si no estuviera enferma y podrida por dentro; a ella no le desmejoró el semblante ni se le secaron las carnes que seguía teniendo en abundancia y por las que todavía era famosa en el tugurio ese que regenteaba en la carretera, donde la fue a poner el que dicen que es su amante, ese güero jovencito que los del Grupo Sombra mandaron del norte para que moviera la droga en la zona, el que anda de arriba abajo por la carretera en un camionetón de vidrios polarizados; el del video, vaya; el famoso video ese que todo el mundo se anda pasando por el teléfono y en donde se ven las cosas espantosas que el güero ese le hace a la pobre muchacha que sale en las imágenes, una niña casi, una criatura toda chupada, que apenas puede mantener la cabeza alzada de lo drogada que está, o de lo enferma, porque dicen que eso es lo que le hacen esos cabrones a las pobres muchachas que raptan de camino a la frontera: que las ponen a trabajar en los puteros como esclavas y que cuando dejan de servir para la cogedera, las matan como a los borregos, igual que en el video, y las hacen cachitos y venden su carne a las fondas de la carretera como si fuera de animal fino para hacer los tamales famosos en la región, los mismos tamales que la abuela preparaba en la fonda, pero con carne de borrego, no de muchacha; pura carne de borrego que la abuela destazaba en el patio o que le compraba a don Chuy en el mercado de Villa, no de perro como luego decía la gente chismosa, la gente envidiosa de este pinche pueblo, gente que no tiene otra cosa que hacer más que andar inventando tonterías, como esas pinches Güeras que todo el tiempo quieren estar metidas donde no les importa, pinches viejas culeras: por su culpa la abuela no dejaba de chingar a Yesenia todo el tiempo, preguntándole por el chamaco y por la mujer con la que se había juntado, como si Yesenia no tuviera cosas mejores que hacer que andar al pendiente de ese cabrón; como si los días no se le fueran nomás haciéndose cargo de la abuela y de la comida y de la ropa y de esas pinches chamacas huevonas que nunca hacen las cosas que uno les ordena y a las que hay que andar arreando a coscorrones para que obedezcan. Si no hubiera sido por los chismes de las Güeras todo hubiera salido bien, todo hubiera salido justo como Yesenia lo planeó aquel día, aquel lunes primero de mayo que andaba en Villa con la Vanessa, después de escuchar que la Mary, la dueña de la mercería, le contaba a otra señora que esa mismita mañana, hacía cosa de horas apenas, habían encontrado el cadáver de la Bruja en un canal de riego cerca del Ingenio, con el pescuezo rebanado y la carne ya podrida y picoteada por los zopilotes, tan horrible que el comandante Rigorito no había podido aguantarse las bascas, y Yesenia se quedó como paralizada cuando escuchó eso, y no pudo evitar pensar en lo que había visto el viernes, el mismo día que ella se fue a bañar temprano al río y se topó con el cabrón de su primo, descalzo y sin camisa, dando tumbos por la vereda. El muy cínico le había preguntado que cómo estaba el agua y Yesenia le había dicho que clarita y después se dio la vuelta y regresó a su casa, a pesar de las ganas que tenía de mentarle la madre a ese pinche chamaco y echarle en cara todas las desgracias que por su culpa habían sucedido. No le había contado a nadie que lo había visto, aquella mañana en el río, y mucho menos se atrevió a decirles a su abuela y a sus primas que, horas más tarde, volvió a verlo por aquel rumbo, aquel mismo viernes pero después de mediodía, como a las dos o tres de la tarde, mientras ella se encontraba parada frente al lavadero del patio, tallando los calzones y el camisón que la abuela acababa de ensuciar con sus orines, cuando escuchó el ruido de un vehículo que avanzaba con lentitud por la vereda y se asomó para ver pasar la vagoneta azul, o tal vez gris, era imposible saberlo con certeza a causa de la mugre que cubría la carrocería, del fulano ese al que todo el mundo llamaba Munra, justamente el marido de la chingada vieja esa que había parido a su primo; un cojo bueno para nada, borracho mantenido, con quien el chamaco andaba siempre para todos lados en esa camioneta. Clarito lo reconoció al tal Munra ese porque llevaba las ventanas bajadas y además nadie más en el pueblo tenía una camioneta como esa, aunque no logró ver si había más gente adentro, si acaso el chamaco venía ahí con él y planeaba aparecerse por casa de la abuela. Hasta se llevó una mano mojada a la frente, a modo de visera, para ver si así lograba distinguirlo ahí dentro, pero nada. El corazón empezó a latirle muy fuerte en el pecho, a causa del miedo y del coraje que desde esa mañana no había parado de sentir; miedo de que el cabrón de su primo pretendiera presentarse en la casa y alterar a la abuela; y coraje por todo el dolor que el pendejo ese le había ocasionado ya a la vieja desde su partida. Dejó la ropa en el lavadero y avanzó hacia la vereda mientras seguía con la mirada a la camioneta, y vio con horror que esta se detenía a unos doscientos metros sobre el camino, casi enfrente de la casa de la Bruja. Los ojos le lagrimeaban a causa del sol implacable, pero Yesenia no le quitó la mirada a la camioneta ni un solo segundo, pues estaba casi segura de que en cualquier momento vería al pinche chamaco saliendo del vehículo, pero después de unos minutos la abuela comenzó a gemir desde su cuarto y Yesenia tuvo que acudir a su lado pues no había nadie más en la casa; las chamacas ya no tardarían en llegar de la escuela, si acaso las muy babosas no se ponían a pendejear en el camino como era su chingada costumbre. Por eso tardó tanto en poder salir al patio de nuevo y comprobar que la camioneta seguía estacionada en el mismo sitio, y un poco más tranquila, procedió a enjuagar y a exprimir las prendas que había dejado remojando, mientras echaba de tanto en tanto miradas furtivas hacia la vereda. Estaba a punto de coger la ropa para llevarla al tendedero, cuando vio que la puerta de la casa de la Bruja se abría de golpe y que dos muchachos salían del interior cargando a una tercera persona, agarrándola de los brazos y de las piernas como si estuviera desmayada o borracha. Uno de esos muchachos era su primo, Maurilio Camargo Cruz alias El Luis Miguel, Yesenia estaba completamente segura; que le cortaran una mano si no era ese cabrón, carajo, si no por nada lo había criado desde que era niño y podía reconocer esa mata de chinos salvajes a diez kilómetros de distancia; y también estaba segura de que la persona que llevaban cargando era la Bruja, por el tamaño de aquel cuerpo y porque las ropas que llevaba puestas eran todas negras, tal como esa persona acostumbraba vestirse desde que Yesenia tenía memoria. Al otro muchacho que iba con su primo lo reconocía; era uno de los vagos que se reunían en el parque; no sabía su nombre ni cómo le decían, pero medía más o menos lo mismo que su primo, alrededor de un metro con setenta centímetros de estatura, y también era delgado y correoso aunque su cabello era negro y lo llevaba muy corto y así como parado del copete, tal y como está de moda entre los chamacos de ahora. Todo eso se lo contó a los policías que la atendieron de mala gana aquel lunes primero de mayo, y luego tuvo que volver a repetírselo todo a la secretaria del agente del Ministerio Público: el nombre de su primo y la dirección en donde vivía y lo que ella había visto aquel viernes al mediodía y lo que la gente contaba del pinche chamaco ese, las cosas que ella misma había visto con sus ojos aquella noche que siguió a su primo hasta la casa de la Bruja sin que este se diera cuenta; las cochinadas que la abuela no quiso creer cuando Yesenia la despertó para contarle, para que se diera cuenta de la clase de mierda que era su nieto, pero la abuela no había querido creerle; la abuela dijo que Yesenia se lo estaba inventando todo porque tenía la mente sucia y cochambrosa y porque la que se escapaba de noche a hacer cochinadas era ella, y de los pelos la arrastró hasta la cocina y agarró las enormes tijeras de cortar el pollo y por un momento Yesenia pensó que su abuela le enterraría el filo en la garganta y cerró los ojos para no ver cómo su sangre salpicaría el piso de la cocina, pero entonces sintió el borde chirriante de las tijeras contra su cráneo y escuchó el crujido que hacían las hojas al cortar mechones enteros de su pelo, el cabello que ella tanto se cuidaba, la única cosa bonita que le gustaba de su cuerpo: aquel pelo negro bien lacio y espeso que todas sus primas envidiaban porque era lindo y liso como el de las artistas de las telenovelas, y no duro y chino como el de ellas, como el pelo de la abuela, pelo de borrego decía ella, pelo crespo de negra, y ni siquiera la Balbi, que tenía ojos verdes y presumía tener algo de sangre italiana, ni siquiera ella se había salvado del pelo feo, nadie más que Yesenia, la Lagarta, la más fea, la más prieta y las más flaca de todas ellas pero la única que tenía un cabello primoroso que le caía sobre los hombros como una cortina de seda, una cascada de terciopelo azul casi negro que la abuela tijereteó aquella noche hasta dejarla como loca de manicomio, para darle una lección, para ver si así seguía escapándose por las noches en busca de hombres; ese pelo por el que Yesenia lloró mientras se lo sacudía de las ropas para después coger la pita y azotar con ella las paredes de la casa y los arbustos bajo la ventana hasta dejarlos igual de pelados que ella. Para entonces ya no lloraba, ni de rabia ni de tristeza, nomás oía en silencio cómo la abuela se lamentaba por el nieto en su recámara, y cada sollozo, cada gemido de la vieja era como una daga helada que se enterraba en el corazón de Yesenia. Aquel pinche chamaco tenía la culpa de todo, pensaba; aquel cabrón terminaría por matar a la abuela, la mujer que bien que mal era como una madre para Yesenia ahora que ni la Negra ni la Balbi llamaban nunca ni mandaban dinero ni parecían acordarse nunca de ellas. Aquel chamaco cabrón tenía que morirse, y Yesenia estaba dispuesta a quebrarlo a la chingada. Esperaría despierta en la oscuridad del patio y lo pillaría cuando el cabrón tratara de escabullirse en la casa, como siempre hacía de madrugada, y con ese machete oxidado que encontró debajo del lavadero, con ese filo romo y apestoso a centavo le rajaría la cara y el cuello mientras le decía: ándale, chamaco pendejo, hasta aquí te llegó el gusto, ya no vas a burlarte nunca más de mi abuela, y después de matarlo cavaría un hoyo al fondo del patio para enterrarlo, y si la abuela quería acusarla ella gustosa dejaría que la policía se la llevara, tranquila de haber cumplido con su misión, de haber librado a la abuela de aquel hijo de la chingada. Pero pinche chamaco nunca llegó aquella noche, ni tampoco al día siguiente, ni a la semana ni al mes. No volvió nunca a la casa de la abuela, ni siquiera para recoger su ropa y sus chivas, mucho menos para despedirse de la vieja y agradecerle todo lo que ella había hecho por él desde el principio, y tuvieron que ser las babosas de las Güeras las que le llegaron a contar a la abuela que el chamaco ahora vivía con su madre, y la viejita se puso muy mal de que el chamaco prefiriera vivir con la puta esa que le consecuentaba todas sus marranadas, y no con la abuela, que prácticamente lo había criado como si fuera su propio hijo, y tanta fue su pena que a las dos semanas le vino el derrame ese que de la noche a la mañana la dejó paralizada de esta mitad del cuerpo, y luego, al año de eso, la caída en el baño de la que ya nunca consiguió levantarse, y ahora quién sabe cómo tomaría la abuela la noticia de que el pinche chamaco era un asesino, de que iban a refundirlo en la cárcel; seguramente la muy zonza querría ir a visitarlo, llevarle dinero y comida y hasta cigarros, como lo había hecho con el tío Maurilio cuando estaba preso; seguramente le ordenaría a Yesenia que lo vistiera y le pidiera un taxi para que la llevaran a la comandancia de Villa, como si los taxis hasta allá salieran tan baratos, y como si la pobre vieja todavía creyera que aún tenía fuerzas para caminar, cuando hacía casi dos años que no se paraba de la cama, y ahí estaban las llagas que le brotaban en la espalda y en las nalgas como prueba. No, la abuela no podía enterarse de que el chamaco era un asesino, y menos de que fue la propia Yesenia la que lo acusó ante la policía, la que aquel lunes primero de mayo fue a la comandancia y lo echó de cabeza y dio su nombre completo y dirección para que lo aprchendieran, después de escuchar el chisme de boca de la dueña de la mercería, después de quedarse varios minutos como pasmada, pensando en lo que pasaría si se atrevía a contarle a las autoridades lo que ella había visto el viernes por la mañana y a mediodía, pensando en lo que su abuela diría si llegaba a enterarse, pero pensando también en todo el odio que sentía por ese pinche chamaco baboso y las ganas que tenía de verlo refundido en la cárcel, mientras la Vanessa se le quedaba viendo como la chamaca pendeja que era, asustada por el nerviosismo del que su tía era presa. Vete para la casa, acabó ordenándole a la muchacha. Vete en chinga, ahorita mismo, y dile a tu madre y a tus tías que se encierren y que no dejen entrar a nadie a la casa, a nadie, ¿me oíste? Mucho menos a esas pinches Güeras, cabronas desgraciadas; quién sabe cómo le hacían para enterarse de todo; era como si tuvieran antenas, o tal vez eran medio brujas las culeras, pinches viejas, cómo fueron a contarle todo a la abuela, sabiendo lo mal que la vieja se ponía cada vez que escuchaba algo del chamaco, cómo no se tentaron tantito el corazón a la hora que le dijeron que el chamaco estaba en la cárcel, que lo acusaban de matar a la Bruja. Ellas no tenían manera de saber que fue Yesenia la que delató al primo, ¿verdad? ¿Entonces cómo chingados supo la abuela que fue ella la que le puso el dedo al chamaco? No tuvo más que mirarla a los ojos para saberlo, cuando Yesenia se inclinó sobre ella con lágrimas en los ojos para ver cómo estaba, ya bien entrada la noche porque los cabrones de la policía a huevo la llevaron al Ministerio Público a que les repitiera toda la historia, y la pinche secretaria huevona se tardó años en pasar a la computadora la declaración para que la firmara, y ya era de noche cuando al fin pudo regresar a La Matosa, y nomás de ver todas las luces de la casa de su abuela encendidas supo que algo horrible había pasado, y entró corriendo a la casa hasta la recámara de su abuela y la encontró retorcida en la cama, con la boca abierta como congelada en un grito y los ojos pelones mirando el techo, y fue la Bola cara de perro la que le explicó lo que había pasado: que a la abuela le había dado otro ataque, apenas unas horas antes, de tanto llorar por culpa de lo que las pinches Güeras le contaron cuando fueron a visitarla aquella tarde, el chisme de que la policía había agarrado al chamaco y de que lo acusaban de haber matado a la Bruja y haber echado su cadáver en un canal de riego, y Yesenia tuvo ganas de cachetear a la Bola, de reclamarle su descuido. ¿Por qué carajos había dejado entrar a esas pinches viejas culeras a la casa, si ella claramente le había ordenado a la Vanessa que se encerraran todas, que no dejaran pasar a nadie, mucho menos a las pendejas esas? Y fue entonces cuando se dio cuenta, al pasar revista a los rostros compungidos que rodeaban la cama de la abuela, de que la pinche Vanessa cabrona hija de la chingada no estaba ahí porque la muy puta seguramente aprovechó que la tía la dejó suelta para irse a ver al novio, el greñudo mariguano ese que siempre la andaba rondando a la salida de la secundaria, de modo que a Yesenia no le quedó de otra más que salir de la recámara, cruzar el umbral de la casa y caminar por la vereda hasta la casa de las Güeras y ponerse a golpear la puerta con los puños y los pies y gritarles pinches viejas metiches, alcahuetas, qué ganas de ir a molestar a la abuela con sus argüendes de mierda, porque era eso o madrearse a la Bola por haber parido a esa pinche chamaca babosa incapaz de obedecer la más sencilla de las órdenes. Las Güeras ni de locas le abrieron la puerta; es más, ni siquiera se atrevieron a asomarse por la ventana porque bien que sabían que Yesenia era capaz de tumbar las paredes a patadas si llegaban a contestarle con alguna insolencia, así que no se atrevieron ni a encender las velas del altar de la Virgen, ni siquiera cuando

Yesenia se cansó de gritarles y regresó a la casa, donde se puso a esperar, rodeada de sus primas y sobrinas, la llegada de la Picapiedra, que se había ido a Villa a buscar al médico, y la llegada también de la babosa de la Vanessa, a la que Yesenia ya le tenía jurada una madriza con la pita mojada en el momento mismo en que la bruta se atreviera a cruzar la puerta, mientras la abuela resollaba por el esfuerzo de mantenerse viva, sin poder hablar ya, sin apartar la mirada del techo más que durante ese instante aterrador en que Yesenia colocó la cabeza de su abuela en su regazo, para acariciar los ásperos cabellos blancos de la vieja y decirle que todo estaba bien, que todo saldría bien, que ya no tardaba el doctor en venir a curarla, que aguantara un poco más y fuera fuerte por ella, por ellas, por sus nietas que la adoraban, pero las palabras se le secaron en la boca cuando la vieja apartó la mirada del techo y clavó sus pupilas brumosas en las de Yesenia, y quién sabe cómo, quién sabe de qué manera Yesenia lo supo, pero por Dios santo que su abuela la miraba como si supiera lo que había hecho, como si pudiera leer su mente y supiera que fue ella la que delató al pinche chamaco, la que le dijo a los policías de Villa dónde vivía el cabrón para que fueran a arrestarlo. Y supo también, mientras se hundía en los ojos cada vez más rabiosos de la vieja, que su abuela la odiaba con toda su alma y que en aquel mismo momento la estaba maldiciendo, y Yesenia, con un hilito de voz, quiso pedirle perdón y explicarle que todo había sido por su propio bien pero fue demasiado tarde: una vez más, la abuela le había dado a Yesenia en donde más le dolía, y por eso se murió en aquel momento, temblando de odio entre los brazos de su nieta la más grande.

IV

La verdad, la verdad, la verdad es que él no vio nada, por su madre que en paz descanse, por lo más sagrado que él no vio nada; ni siquiera supo lo que esos cabrones le hicieron, sin su muleta cómo iba a bajarse de la camioneta, y además el chamaco le había dicho que se quedara al pendiente tras el volante, que no apagara el motor ni se moviera, que todo era cosa de minutos para largarse, o eso fue lo que entendió Munra y después ya no supo nada, ni se bajó a ver ni mucho menos se volteó para asomarse por la puerta abierta y aunque la verdad sí tuvo ganas de ver no cayó en la tentación de mirar por el espejo retrovisor, le ganó el miedo. Porque de repente el cielo se puso negro, se llenó de nubes que un viento súbito arrimó contra los cerros, azotando las matas del cañaveral contra el suelo, y él pensó que ya no tardaba en caer la lluvia, y hasta vio clarito cómo de las nubes oscuras surgía de pronto un rayo mudo que caía sobre un árbol que se achicharró en absoluto silencio, un silencio tan espeso que por un momento hasta pensó que se había quedado sordo porque lo único que alcanzaba a oír era una especie de zumbido seco que rebotaba dentro de su cabeza, y los muchachos tuvieron que zarandearlo para que reaccionara, y fue entonces que se dio cuenta de que no estaba sordo, de que sí podía escuchar los gritos de aquellos dos cabrones pidiéndole que acelerara, que acelerara, ya, pinche cojo, métele la pata hasta el fondo, esa madre ya está prendida, para largarse de ahí cuanto antes y alcanzar la brecha que llevaba al río, rodear Playa de Vacas y entrar a Villa por los rumbos del cementerio, cruzar el centro por la avenida principal, con su único semáforo y el parque, hasta alcanzar de nuevo la carretera en dirección a La Matosa, todo ese tiempo pensando en lo agradable que sería llegar a su casa y meterse en la cama con una botella de aguardiente y beber hasta perder la conciencia, olvidarlo todo, olvidar incluso que hacía días que Chabela no regresaba, olvidar la manera en que los faros de la camioneta volvían aún más densa la oscuridad que les rodeaba mientras huían a toda velocidad por aquella brecha y las risas de los pinches chamacos que se la pasaron haciendo chistes que él no entendía, y al final, cuando se encontraba ya tendido en su cama, hasta le entraron ganas de meterse una de las pastillas de Luismi porque cada vez que cerraba los ojos y trataba de conciliar el sueño su cuerpo empezaba a temblar y el estómago se le encogía y la cama desaparecía y era como si estuviera colgado encima de un precipicio, a punto de caer al abismo, y entonces abría los ojos y se daba la vuelta en la cama y volvía a tratar de dormir y volvía a sentir el vértigo y trataba de marcarle a Chabela pero el teléfono seguía desconectado, y así se pasó toda la noche, y hasta llegó a pensar que sería mejor salir al patio y cruzarlo para pedirle a Luismi que le regalara una de sus pastillas y ver si así lograba dormir de un solo tirón hasta el mediodía, pero en el fondo sabía que sin su muleta no sería capaz de cruzar la oscuridad del patio para llegar al cuarto del chamaco, así que terminó por resignarse y seguir dando vueltas en la cama hasta que finalmente se sumió en una duermevela intranquila que le duró hasta la hora en que los gallos lejanos comenzaron a cantar y el sol se elevó detrás de la ventana. No quería levantarse pero ya no soportaba más el calor de aquel cuarto ni el hedor de su propio cuerpo ni el vacío en la cama que compartía con Chabela, así que se puso de pie como pudo, agarrándose de los muebles y hasta de las paredes, y salió al patio a mear y a lavarse, y quién sabe qué horas serían pero el chamaco aún no daba señales de vida, y ni las daría aquel día porque desde el patio Munra alcanzó a verlo atravesado sobre el colchón que ocupaba casi todo el piso de su cuartito —su casita, como él la llamaba—, con la bocota abierta y los párpados entrecerrados, casi morados de lo hinchados. Seguramente tardaría otro día en despertarse, a juzgar por la cantidad de pastillas que se había metido la noche anterior, y efectivamente el pinche Luismi no revivió sino hasta la noche del domingo, cuando Munra lo vio atravesar el patio a trompicones y agarrar la vereda que llevaba hasta la carretera, donde seguramente trataría de conseguir más dinero y así comprar sus cochinas pastillas. Qué chiste le veía el chamaco a esas porquerías era algo que el Munra nunca pudo entender: cómo era posible que alguien quisiera estar así como idiota todo el santo día, con la lengua pegada al paladar y la mente en blanco como una televisión sin señal; por lo menos con el alcohol las cosas buenas se hacían mejores y las culeras como que se soportaban más fácilmente, y con la mariguana pasaba más o menos lo mismo, pensaba el Munra; pero con esas pastillas que el Luismi se chingaba como dulces él nunca sentía nada más que puro sueño, un chingo de ganas de acostarse a dormir y jetearse, y hasta eso, no para soñar con cosas locas y alucinar como decían que pasaba cuando fumabas opio, no, sino para caer rendido en un sueño pesado y culero del que te despertabas con un chingo de sed y la cabeza como bomba y los ojos tan hinchados que no podías ni abrirlos, sin acordarte de cómo habías llegado a tu cama, ni por qué estabas todo mugroso y hasta cagado, o quién te había roto la cara. Pinche Luismi siempre decía que las pastillas lo hacían sentir chido, tranquilo, normal, pues, ni ansioso ni tembloroso ni con ganas de tronarse los dedos o el cuello con ese tic que siempre tuvo desde chamaco, ese con el que se tronaba el cuello echando la cabeza a un lado como de latigazo, y que según él solo se le quitaba cuando se metía las pastillas esas, que porque cuando dejaba de tomarlas enseguida le volvían los temblores y los tics, junto con otras sensaciones bien culeras, como esa de que las paredes se movían y amenazaban con caerle encima, o la de que los cigarros no le sabían a nada, o de que sentía de que el pecho se le cerraba y se quedaba sin aire, en fin, puros pretextos que el chamaco ponía para no dejar de meterse esas chingaderas. Si ni cuando se trajo a la pendeja de Norma a vivir con él a su casita pudo dejarlas por completo, aunque los primeros días él estaba realmente convencido de que ya no iba a volver a meterse nada, pura chela y pura mota había dicho, nada de pastillas, pero la intención no le duró más que tres semanas, hasta que la culera de la Norma lo traicionó y le echó encima a la policía para que lo metieran a la cárcel por algo que el chamaco ni culpa tenía, si su único pecado fue haber tratado de ayudar a esa pinche chamaca moscamuerta que nomás resultó ser puro problema, puro conflicto. A Munra esa escuincla siempre le cayó mal, siempre le pareció una falsa, con su teatrito de niña buena que no rompía un plato y su vocecita de pendeja que tenía a todos envergados, hasta a la Chabela, quién iba a decirlo; ella que presumía de conocerse al dedillo todas las mañas habidas y por haber de las viejas que trabajaban en el Excálibur, ni siquiera ella, se salvó de caer en el engaño de la pinche Norma: si a los dos días de haber llegado a la casa la pinche Chabela ya andaba diciendo que la chamaca aquella era como la hija que siempre había querido tener, que porque era tan buena, tan hacendosa, tan acomedida, tan tan que ya parecía campana, la hija de la chingada, y Munra nada más la escuchaba y chasqueaba la lengua, asqueado de tanta melcocha que salía de la boca de su mujer. Le daba coraje verla ahí en la casa, guisando frente a la estufa y lavando los platos o nada más ahí revoloteando detrás de la pinche Chabela, con esa sonrisita hipócrita en los labios y los cachetes de india chapeados y esa expresión de fingida inocencia, diciéndole que sí a todo lo que Chabela decía. Su mujer estaba tan envergada con las atenciones de la chamaca que hasta se le olvidó que ahora eran dos los huevones mantenidos que comían a sus costillas en vez de solo uno, y a Munra francamente tanta armonía familiar le parecía muy sospechosa, y no podía dejar de preguntarse qué carajos era lo que tramaba la chamaca esa, de dónde chingados había salido y por qué madres estaba ahí con el chamaco; porque eso de que eran el uno para el otro, que se lo creyera su abuela: ¿qué mujer en su sano juicio querría irse a vivir al cuartucho ese al fondo del patio con ese chamaco cara de perro muerto de hambre? Munra estaba seguro de que había algo chueco en todo el asunto, pero al final decidió quedarse callado porque ultimadamente ese pinche Luismi de todos modos haría lo que se le pegara su chingada gana y para qué gastar saliva entonces; si él ya una vez había tratado de advertírselo, la tarde cuando Luismi se le acercó para pedirle el favor de que lo llevara a la farmacia de Villa, a comprar algún medicamento que le aliviara a la Norma un sangrado con muchos dolores que tenía, y Munra enseguida pensó que esa pinche chamaca estaba haciendo puro teatro para hacerles gastar dinero y gasolina a lo pendejo, y esa vez hasta regañó al chamaco por dejarse embaucar de esa manera tan pendeja. ¿Qué no sabía que todo aquello era normal, que mes con mes las mujeres sangraban de la cola y que no necesitaban medicinas, si acaso de esas toallas que Luismi podría comprarle a doña Concha ahí mismo en La Matosa, sin necesidad de ir a Villa? ¿Tan ignorante era? Pero el chamaco se había puesto a necear de que aquello era diferente, que la Norma estaba sufriendo mucho y que hasta tenía el cuerpo acalenturado, pero al final Munra logró convencerlo de que todo aquello era normal y el chamaco se regresó a su casita y Munra pudo verlos a los dos echados sobre aquel colchón mugroso, el Luismi abrazándola como si estuviera moribunda, pinche vieja payasa, pensó el Munra, aunque al final, quién iba a decirlo, resultó que la cosa sí era seria y hasta se llevó un buen susto esa misma madrugada cuando el chamaco casi le tira a patadas la puerta de la casa para que le abriera porque en los brazos llevaba a la Norma que tenía la piel verde y los labios blancos y los ojos así metidos para adentro como endemoniada y los muslos escurridos en sangre que todavía no se le secaba y que goteaba sobre la tierra, y el chamaco parecía loco y hablaba de la mancha que había quedado en el colchón, de la cantidad de sangre que Norma estaba perdiendo, que por favor les hiciera el paro de llevarlos al hospital de Villa en aquel momento y Munra le dijo a Luismi que los llevaría, pero que primero le pusiera algo debajo a Norma, una jerga o una cobija, porque no quería que la sangre manchara los asientos de la camioneta y Luismi lo hizo, pero tan mal que al final la tapicería quedó toda embarrada de porquería, y ya nunca tuvo chance Munra de reclamarle al pinche chamaco o de limpiar la cochinada, con todo lo que pasó después de esa noche, después de llevar a Norma al hospital y después de haberse quedado como idiota esperando ahí afuera a que alguien saliera a decirles cómo seguía la chamaca, sentados sobre un arriate hasta las doce del día, cuando a Luismi le ganó la desesperación y entró al hospital a preguntar qué era lo que pasaba, porque nadie les decía nada y como a los quince minutos de haber entrado ya estaba de vuelta el chamaco, con cara de perro apaleado y mentando madres de que una trabajadora social les estaba echando a la policía, pero no quiso contarle nada a Munra en el camino de vuelta a La Matosa, ni siquiera en el interior del Sarajuana, a donde Munra lo llevó para invitarle una cerveza que la bruta de la nieta de la Sara les entregó casi al tiempo. *No quiero que regreses nunca más,* cantaba la radio, *prefiero la derrota entre mis manos,* en la estación de las canciones rancheras que a Munra tanto le cagaban, *si ayer tu nombre tanto pronuncié, ¿por qué* mejor no ponían una salsa?*, hoy mírame rompiéndome los labios,* pero al chamaco, quién iba a decirlo, en serio, los ojos se le fueron poniendo vidriosos y colorados como si estuviera a punto de chillar, y Munra hasta pensó que chance la Norma se había muerto, o que estaba muy grave y necesitada de una operación complicada y muy costosa, pero tres cervezas después el chamaco seguía sin soltar prenda, y no le contó nada ese día, ni siquiera después de que Munra accedió a llevarlo a Villa a recorrer las cantinas buscando al Willy para que le vendiera una tira de esas pinches pastillas culeras que ya llevaba como tres semanas sin tomar, y quién sabe cuántas se tomó de jalón que a la hora el pinche Luismi ya estaba tirado en el piso, completamente hasta su madre, y Munra tuvo que pedirles de favor a unos chavos que lo ayudaran a subirlo a la camioneta, donde terminó durmiendo aquella noche porque Munra no pudo despertarlo ni mucho menos bajarlo él solo cuando al fin llegaron a La Matosa. Quién sabe qué horas serían cuando Munra despertó a la mañana siguiente, porque la pila de su teléfono se había acabado, y el aparato estaba muerto, y Chabela aún no volvía de la chamba, y eso le inquietó un poco al Munra, porque últimamente sucedía con mayor frecuencia que Chabela se desaparecía dos o tres días seguidos, según que cotorreando con sus clientes, pero la cabrona ni le avisaba. Trató de conectar el teléfono para marcarle a su mujer de inmediato y reclamarle el abandono en el que lo tenía, pero una ola de náusea estuvo a punto de hacerlo rodar de cabeza al suelo, cuando se agachó para buscar el cargador del teléfono junto a la cama, por lo que decidió recostarse un rato más, con el perfume de su mujer impregnado en las sábanas como si la muy cabrona hubiera entrado a hurtadillas de madrugada a rociarlo con su perfume antes de marcharse a la calle a seguir cotorreando, o como si hubiera vuelto mientras él dormitaba y estuviera ahí contemplándolo desde el umbral de la recámara, una sombra sumida en ese silencio rabioso que a Munra le asustaba más que los gritos, y por eso había empezado a explicarle lo que había sucedido la noche anterior: mi vida, el pinche chamaco tuvo que cargar a la Norma que se desangraba; parecía muerta, la cabrona, y en el hospital por poco y nos echan a la policía, pinches putos culeros, pero de pronto se dio cuenta de que estaba hablando solo, que no había nadie en el cuarto, que la sombra que confundió con Chabela se había evaporado, y después de conectar su teléfono al cargador y de esperar a que el aparato se encendiera, descubrió que Chabela no le había mandado ni un solo mensaje de texto, nada, ninguna explicación, ni siquiera una mentada de madre, la muy culera. Marcó su número; cinco veces seguidas presionó el botón para repetir la llamada y cinco veces el teléfono lo mandó al buzón. Se puso una camisa y un pantalón que encontró tirados en el suelo, buscó su muleta, que quién sabe cómo terminó metida debajo de la cama, y salió para comprobar que el chamaco siguiera vivo y que no le hubiera guacareado la camioneta, y sí, ahí seguía, enconchado sobre el asiento del copiloto, con la bocota abierta y los ojos entrecerrados y los cabellos aplastados contra el vidrio. Loco, le dijo, golpeando la ventanilla con la palma de la mano para hacerlo reaccionar, antes de abrir la puerta. Aquello estaba que ardía. ¿Cómo podía aquel cabrón aguantar el calor que se sentía ahí dentro, el sudor que le empapaba las ropas y le escurría en hilos por la frente? Loco, vamos a curarnos la cruda, dijo Munra, encendiendo el motor, y el chamaco asintió, sin siquiera mirarlo. Munra ni le preguntó si llevaba dinero; sabía que no, pero realmente necesitaba un caldo y una cerveza para reponerse de aquella jaqueca palpitante que comenzaba a martillearle el cerebro, y además quería que el chamaco le contara bien el chisme de lo que había sucedido con Norma, aunque no tardó en arrepentirse de haberlo invitado porque el pinche chamaco empezó a pedir cervezas como si estuvieran en el Sarajuana, donde la caguama costaba treinta varos, mientras que ahí en el puesto de tacos de Lupe la Carera cada media salía en veinticinco, pero valía la pena porque todo el mundo sabía que la Lupe la Carera preparaba el mejor consomé de borrego hecho con carne de perro, aunque en la opinión de Munra daba igual que aquellas hebras de carne jugosa que masticaba pacientemente con los dientes que le quedaban fueran de borrego, de perro o de humano, el chiste estaba en la salsa que Lupe la Carera preparaba con sus manitas santas y que le quedaba tan sabrosa y estaba llena de propiedades curativas que pronto le hicieron sentirse de nuevo como ser humano, y hasta le entró la esperanza de que Chabela seguramente regresaría a casa en cualquier momento; a lo mejor nomás estaba cotorreando por ahí con unos clientes y no había por qué hacer panchos, ni andar pensando que la cabrona al fin se había decidido a abandonarlo, ¿verdad? Y hasta como que le entraron ganas de irse a Villa y darse una vuelta por la Concha Dorada a saludar a la banda y aprovechar el día. El pinche chamaco en cambio se veía bien pinche deprimido, ahí sentado con la cabeza inclinada y los brazos caídos a los lados, el tazón del caldo sin tocar siquiera, la cuchara intacta sobre la mesa de madera salpicada de trocitos de cebolla y de cilantro, y loco, empezó a decir el Munra, sintiendo ya en el fondo de las tripas el coraje que a veces le daba de ver al chamaco todo pendejo, todo idiota, y ya ni siquiera por el gusto de ponerse hasta su madre con la banda en el parque o en las cantinas sino nomás para no tener que hablar con nadie, para no tener que escuchar a nadie, encerrarse dentro de sí mismo y desconectarse del mundo, y Munra a veces tenía ganas de cachetearlo para hacerlo reaccionar pero sabía que no serviría de nada, que el pinche chamaco ya estaba bastante grande para saber lo que hacía, los pedos en los que se metía, como ese asunto de la Norma. Loco, le dijo, ¿qué pasó con tu vieja? El pinche Luismi hundió más los hombros y apoyó los codos en la mesa y comenzó a mesarse el greñero aquel que llevaba, y el Munra insistió: ya, coño, qué pedo, qué pasó, y el chamaco, dramático como su chingada madre, igualitos los dos, suspiró hondamente y sacudió la cabeza y luego vació la botella de cerveza de un trago y le hizo un gesto a Lupe la Carera de que le sirviera la tercera —hijo de su puta madre, ahí costaban veinticinco varos las medias—, y esperó a que le destaparan la botella para empezar a contarle a Munra lo que sucedió cuando entró a la sala de urgencias a preguntar por Norma y las enfermeras se hacían todas bien pendejas y terminaron por llevarlo a una oficina atestada de papeles en donde una señora de pelos pintados de rubio se presentó como la trabajadora social del hospital y le pidió los papeles de Norma, su acta de nacimiento y el acta de matrimonio que comprobaba que él y Norma estaban legalmente casados, y él no tenía nada de eso, por supuesto, y entonces la vieja esa dijo que la policía ya estaba en camino para detenerlo, por violación de menores, según esto, porque quién sabe cómo se enteraron en el hospital de que Norma era menor de edad, que solo tenía trece años y... A Munra se le fue chueco el buche de cerveza que acababa de tragar y comenzó a toser, impactado por lo que el chamaco le estaba diciendo, porque la pura verdad es que él no tenía idea de que la Norma fuera tan chica, una niña casi, carajo, ni se le notaba, chale, por lo gorda y lo caballona, tal vez. Vas y chingas a tu madre, loco, alcanzó a graznar cuando por fin se le pasó la tos: eres un pendejo cara de verga, cómo se te ocurre meterte con una chamaca de trece años, de puro milagro no te refundieron en el bote, si bien que sabes que no puedes casarte con una chamaca tan chica, cabrón, y el otro necio con que sí, que sí podía, porque la Norma no era una niña sino una mujer y lo bastante madura como para decidir con quién se juntaba, porque entonces cómo era posible que su abuela a los trece ya estuviera casada con quien fue el papá de su tía la Negra, y Munra, mesándose los bigotes: loco, eso vale verga; eso era antes, ahorita las leyes ya cambiaron, pedazo de bestia, ya no se puede, ahora ni con el permiso de los padres te puedes casar con una chamaca tan chiquita, así que agarra el pedo, esa madre ya se acabó, olvídate de esa vieja, es demasiado problema; seguramente fue ella la que te echó de cabeza con la trabajadora social, para que te chingaran, así son las pinches viejas de cabronas, le dijo. Pero el pinche chamaco ni siquiera lo estaba escuchando, nada más sacudía la cabeza, negándolo todo sin ponerse a pensar de a deveras: no, decía él, no puedo abandonarla, tengo que encontrar la manera de sacarla de ahí, de rescatarla, porque la pobre no tenía a nadie más que a él; no podía defraudarla, y menos ahora que estaban esperando un bebé, y todavía no sabía cómo pero él iba a encontrar la manera de sacarla de aquel hospital para volver a estar juntos, y mientras balbuceaba todas esas pendejadas el Munra lo miraba en silencio y pensaba en los muslos chorreados de sangre de la Norma, y en la manchota que había dejado sobre el asiento de la camioneta, y dudó seriamente que la escuincla siguiera embarazada, si es que realmente alguna vez lo estuvo, si es que esa timba que se cargaba no era de puras lombrices; pinches viejas, no hay una sola a la que no le encante hacer ese tipo de dramas para amarrar a los hombres y chingárselos, aunque se cuidó de expresar estas sospechas en voz alta, porque a fin de cuentas qué carajos le importaba a él todo aquel borlote: ni la Norma, ni el Luismi ni el dizque hijo de ambos eran su problema; el pinche Luismi ya estaba lo bastante papayón como para que Munra tuviera que andar amamantándolo, cuidándolo, diciéndole lo que debía o no hacer, amén de que en el pasado el pinche chamaco no había hecho más que despreciar los consejos que Munra había tratado de darle desinteresadamente, para acabar haciendo siempre su rechingada voluntad en vez de escuchar las sabias palabras de su padrastro. Igualito a la Chabela. Igualitos los dos de pinches necios. Peor que mulas, carajo, y además soberbios: no podía uno decirles nada, todo siempre era motivo de pleito, uno siempre era el que terminaba cediendo, poniendo su cara de pendejo y hasta pidiendo disculpas por haberlos ofendido. Como aquella vez, un año antes, que Munra consiguió esa chamba de promotor del candidato a la alcaldía de Villagarbosa, en donde el Partido, o sea, el mismo gobierno, le daba a Munra dinero en efectivo por cada persona que él llevara a afiliarse a la campaña, y en donde además había hecho amistad con gentes de la política, gentes importantes que en la calle lo reconocían y lo saludaban de mano y lo llamaban don Isaías, y no Munra como la bola de igualados del pueblo, y hasta medio famoso se volvió un tiempo porque un día el mismísimo licenciado Adolfo Pérez Prieto, entonces candidato a la alcaldía de Villagarbosa, le pidió tomarse una foto con él, con Munra, que ese día iba vestido con su playera con el logo del Partido y su gorra con el nombre de Pérez Prieto, y alguien incluso había sacado de quién sabe dónde una silla de ruedas en donde lo sentaron para que Pérez Prieto saliera empujándolo en la foto, los dos sonriendo, y nunca antes Munra había visto una fotografía tan grande de su cara como la que después pusieron en un anuncio espectacular sobre la carretera, a la entrada de Villa, viniendo de Matacocuite, y que decía algo así como "Pérez Prieto sí cumple", y de hecho había cumplido porque la silla de ruedas se la regalaron después de tomar la foto aunque a Munra no le gustaban las sillas, sentía que le hacían lucir como un pinche inválido, un ser decrépito que no podía ni moverse cuando en realidad Munra sí podía caminar bastante bien, incluso sin muletas, carajo, ni que le hiciera falta nada, si ahí estaban sus dos piernas enteras, una junto a la otra, la izquierda un poquitito más chueca nomás, ¿verdad? Un poquito más corta que la otra y como que metida para adentro pero bien viva, chingados, bien puesta y pegada a su cuerpo, ¿no? Él realmente no necesitaba ninguna silla de ruedas, ¿verdad? Por eso la había vendido; ya bastante tenía con su muleta y con la camioneta que lo llevaba a todos lados a donde él quería, y total que era una lástima que esa chamba sólo le hubiera durado seis meses, porque se había llevado un buen dinero y nomás por andar ahí en los eventos políticos aplaudiendo todo lo que Pérez Prieto decía, con matraca y porras y chiquitibum a la bimbombá, Pérez Prieto, Pérez Prieto, ra ra ra, y ya, de verdad: nomás por hacer eso los del Partido le daban doscientos varos por día y doscientos varos además por cada persona que él llevara a registrarse, más comestibles a granel que entregaban cada semana, más herramienta para el campo y hasta material de construcción, y eso que Munra en su vida había votado nunca por nadie, tal vez por eso se le hizo fácil tratar de convencer a la Chabela de que ella también entrara de promotora del voto, que ahí en el Excálibur, entre las viejas que regenteaba y los clientes, podía sacar muchas afiliaciones y llevarse una lana extra que a nadie le caía mal, ¿no? Pero Chabela se lo tomó a mal; se lo tomó como si en vez de estarle dando un consejo él le hubiera dicho: Chabela, vas y chingas a tu madre; se indignó tanto con él que se puso a gritarle en plena calle que estaba bien pendejo, bien pinche idiota y operado del cerebro si creía que ella, ELLA, iba a andar de limosnera con la perrada del Partido como tú, pinche Munra, no tienes madre ni dignidad ni tantita vergüenza, pinche perro, lo único que sabes es dar lástima; vas y chingas a tu madre si crees que yo tengo tiempo para andar oliéndole los pedos al pendejo de Pérez Puto, y así, mero afuera de la Concha Dorada, con la gente que pasaba por la calle cagándose de la risa de ellos, de los insultos y las leperadas de Chabela, y el Munra había tenido que tragarse el coraje, porque ya sabía que era inútil, o más bien suicida, tratar de discutir en público con su mujer: algo así como tragarse una granada destapada. Así que no dijo nada pero se prometió a sí mismo que nunca jamás en la vida le volvería a invitar nada a su mujer, que no volvería a comprarle ni madres con ese dinerito que él honradamente se ganó en las campañas; que se chingara, pinche Chabela, por culera y nefasta y soberbia. Pero lo que nunca esperó fue que el pinche Luismi se pusiera también sus moños y saliera con la misma mamada que su madre, porque el cabrón ese, para variar y no perder la costumbre, estaba sin chamba y sin dinero y ni siquiera sabía qué quería hacer con su vida, y la Chabela se la vivía cagoteándolo de que nunca tenía dinero, de que nunca le daba para la casa ni le pagaba renta y que hasta cuándo el cabrón pensaba vivir a costillas de ella, si ya tenía dieciocho años y era como para que fuera él quien estuviera ganando dinero para mantenerla a ella, a su madre que lo parió con tanto dolor y sacrificio, sacarla de trabajar en vez de pasarse los días ahí metido con la Bruja, o en las cantinas de la carretera, o en el parque de Villa con los vagos, gastándose el poquito dinero que le caía en puros pinches vicios. Por eso fue que Munra se animó a invitar al chamaco a la campaña: ándale, mira, le dijo, te conviene, nomás hasta que sean las elecciones; ni siquiera tienes que votar por el cabrón de Pérez Prieto si no quieres, el chiste es ir a los eventos y que te vean con la bola, estar ahí nomás al pendiente de ver qué se ofrece, y el chamaco necio con que no, que no quería, que la pinche política era una mierda y que él no quería andar de gato por tres miserables pesos, que mejor prefería aguantarse a que al fin le cayera la chamba esa de la Compañía que le habían prometido: la dichosa chamba de la Compañía, un pinche sueño guajiro que el chamaco quién sabe de dónde había sacado, de que le iban a dar chamba en los campos petroleros de Palogacho, una chamba de técnico según él, con todas las prestaciones que otorgaba el sindicato de los petroleros y toda la cosa, y por mucho que Munra trató de hacerlo entrar en razón, por mucho que trató de hacerle entender que aquello no pasaría nunca, porque hacía años ya que la Compañía Petrolera no contrataba a nadie que no fuera pariente directo o recomendado de los líderes sindicales, y además ese pinche chamaco no sabía nada de pozos ni de petroquímica, si ni la secundaria había acabado, y para colmo estaba flaco como tlaconete y no pesaba ni la mitad de lo que pesaban los barriles esos que supuestamente tendría que andar acarreando, pero nada, de nada sirvió que Munra tratara de hacerle entender que la promesa de esa chamba era pura cábula, una ilusión que él hacía mal en alimentar, y todo por culpa del tal amigo ingeniero ese que según iba a hacerle el paro de meterlo a la Compañía. Puro pinche chorizo que el chamaco se había tragado entero, vaya; puras chaquetas mentales que al final le costarían muy caras porque por andar ahí clavado esperando a que el ingeniero le cumpliera, el pinche chamaco dejó pasar un montón de buenas oportunidades que le surgieron en esos años, como aquella oferta que un cliente de la Chabela le hizo, un señor que según ella era dueño de su propia flotilla de tráilers y que un día oyó a Chabela quejarse de lo mantenido, lo huevón e inútil que era su hijo porque no lograba encontrar trabajo, y el tipo le dijo a Chabela que justo se había quedado sin chalán para el viaje a la frontera que estaba a punto de emprender, que por qué no le decía al chamaco que se fuera con él al día siguiente, a primera hora de la mañana, para ver si le gustaba la chamba y si tenía facultades tal vez incluso podía echarle la mano para que sacara su licencia y pudiera empezar a trabajar como chofer para él, y la Chabela esa mañana llegó bien emocionada, feliz porque la pobre pensaba que al fin había hallado la manera de deshacerse del zángano del hijo, pero el muy cabrón dijo que no, que ni madres, que esa chamba de chalán no le interesaba, que él no quería ser trailero, que prefería esperar a que su amigo el ingeniero le diera chance de entrar a la Compañía, y, puta, la zarandeada que la Chabela le puso: hasta la camisa le rompió de tanto que lo jaloneó y le pegó mientras le gritaba que era igual de huevón que su padre, igual de mierda que él, un pinche vividor que valía más muerto que vivo, y la cosa se puso tan fea que por un momento Munra creyó que el chamaco le regresaría los golpes a Chabela, por la mirada de loco que había puesto y por la forma en que alzó los puños para defenderse, pero por suerte no había pasado nada, y qué bueno, porque lo último que Munra deseaba era tener que meterse en el pleito de esos dos; hacía años que había aprendido que lo mejor era dejarlos que se gritaran todo lo que querían, como dos perros furiosos que no entendían razones, que no sueltan la presa hasta que no la desgarran por completo. De pendejo iba él a meterse y arriesgarse a que los culeros le metieran una dentellada, no, ni madres; que chingaran a su madre, si de todos modos siempre terminaban haciendo lo que les daba la gana; para qué perder el tiempo en explicarle al chamaco lo bien que ganan los traileros y la cantidad de viejas y de lugares que tienen oportunidad de conocer, y de cómo esos cabrones nunca se quedan mucho tiempo en el mismo lugar, de cómo siempre están moviéndose por todo el país, y no atrapados en un pinche pueblo culero bajo un calor insoportable; qué caso tenía pintarle todo de colores bonitos si al final el cabrón iba a salir con la tarugada de que no podía irse que porque seguía esperando a que le cayera del cielo esa chamba en la Compañía, y Munra no podía creer que el chamaco fuera tan pendejo como para creer que aquello era cierto, para confiar tan ciegamente en la promesa de un extraño, porque finalmente, ¿quién era ese ingeniero que según era su amigo? ¿Por qué un bato tan picudo y tan influyente querría ayudar a un pinche chamaco bueno para nada, que ni era familiar suyo? Varias veces estuvo a punto de preguntarle al chile qué era lo que el tal ingeniero ese le estaba pidiendo a cambio de semejante favor, cómo era que el chamaco iba a pagarle un paro de esa magnitud, pero como intuía cuál era la respuesta mejor se hacía pendejo. A él qué chingados le importaba. Ya hasta le daba hueva el asunto. Allá el chamaco si quería tragarse la cábula esa, allá él si no quería aceptar que todo era un chorizo de su dizque amigo el ingeniero, que para colmo había dejado de contestarle las llamadas hacía un chingo de meses; allá él si quería seguir creyendo en Santoclós y los Santos Reyes, porque a fin de cuentas cada quien hace en esta vida como quiere y como puede, ¿verdad? ¿Y él qué derecho tenía de andarse metiendo en la vida del chamaco? Ninguno, ¿verdad? Que hiciera lo que quisiera, vaya, ya estaba grande para andar creyendo que la vida era como la tele, como los cuentos de hadas, y más tarde que temprano él solito agarraría el pedo de que ese trabajo en la Compañía Petrolera era pura chaqueta mental suya, tal y como al final también tendría que aceptar que lo suyo con Norma había valido verga: la pinche escuincla ya era problema del hospital y del gobierno, y lo que Luismi debía hacer era dejarse de tantas mamadas y conseguirse una vieja de verdad: una mujer, no una chamaca cagona como la pinche Norma, una rajona que de buenas a primeras, cuando sintió el agua al cuello, echó al marido a los leones; esas son chingaderas, loco, mamadas de chamaca babosa que nomás anda jugando a la casita. Mira: consíguete una vieja de verdad, una que te sepa cuidar, que sepa trabajar, como la Chabela. Y Luismi, con los ojos llorones, ahí en pleno puesto de los caldos, le contestó, casi gritando, que él no pensaba abandonar a Norma nunca, y que antes prefería morirse a que los separaran, y hasta Lupe la Carera alzó la mirada de la parrilla para quedársele viendo al chamaco con cara de qué pedo. Chale, chale, murmuró Munra desconcertado. Si desde que lo conocía, a ese pinche chamaco la vida le valía verga; no había manera de que nada le importara, nada que no fueran sus pastillas y su cotorreo. Chale, chale, repitió, y, súbitamente inspirado, señaló con un dedo socarrón al chamaco: qué se me hace, le dijo, y el Luismi enseguida se puso a la defensiva. ¿Qué?, gritó, ¿qué se te hace, pendejo? Qué se me hace que la pinche Norma te dio agua de calzón. Tu mamá, rezongó Luismi. No te hagas pendejo, se burló Munra; si bien que sabes de qué te estoy hablando. Ya ves cómo son las viejas cuando quieren amarrarte: agarran unas gotas de su sangre puerca y sin que te des cuenta te la echan en el agua o en el caldo, o te ponen una gotita en el talón cuando estás dormido, y eso basta para dejarte bien pendejo por ellas, así como estás tú por la Norma, ¿no te das cuenta? Y hay viejas que todavía son más cabronas y se van al monte a recoger toloache, una flor trompetuda que crece a ras del suelo en la época de lluvias, y con esas flores te hacen un té que te deja todo idiota y dominado, rendido a sus pies como un esclavo, sin que tú sepas ni qué pedo. No te hagas el que no sabes de qué hablo, si tu madre se la pasa contando las brujerías que las viejas del Excálibur le hacen a los güeyes para apendejarlos y poder robarles o para que se obsesionen con ellas y les pongan casa y las vuelvan decentes. Pero el chamaco, que al fin se había puesto a escucharlo con algo parecido a la atención, nomás sacudía la cabeza y decía que no, que Norma no era así, que Norma nunca hubiera sido capaz de hacerle esas cosas, y el Munra se rió de la inocencia del chamaco: todas son iguales, cabrón; todas son igual de mañosas, capaces de las peores chingaderas nomás para tenerte a su lado, y total que el chamaco acabó encabronado y desde ese momento se encerró en un mutismo hosco y rencoroso del que Munra ya no logró sacarlo, ni llevándolo después al Sarajuana ni pagándole otra ronda de esa pinche cerveza templada que ya era como tradición de la cantina, o más bien culpa del viejo frigorífico del año del caldo, de cuando debutó la Sarajuana como reina del Carnaval de Villa, tú; de las épocas de cuando las culebras caminaban paradas. Mija, volvió a decirle por enésima vez el Munra a la nieta de la Sara, ¿por qué no te pones a picar hielo y metes ahí las cervezas desde temprano, para que cuando yo llegue ya estén bien heladas? La chamaca ya conocía al Munra y se limitaba a chasquearle la boca y torcer la cadera con una mano en la cintura antes de revirarle: pues ni que estuvieras tan bueno, cabrón; si no te gusta la puerta es muy grande, y el Munra la mandaba a chingar a su madre con un gesto de su brazo, pero ninguno de los dos se ofendía realmente porque ambos sabían que el Munra siempre terminaría regresando a la cantina, y no porque la muchacha le hiciera brujería sino porque era la cantina más cercana a su casa: quinientos metros de terracería apenas, ni siquiera había que dar la vuelta, nomás se subía a la camioneta y avanzaba todo derecho y ya estaba frente a su casa, sin tener que agarrar la carretera, sin tener que exponerse a tener otro accidente como el que casi le cuesta la pierna, en el año 2004, el 16 de febrero del 2004, cómo olvidarlo: aquel camión que quiso dar vuelta en u sin luces a la altura de San Pedro, hijo de toda su putísima madre; Munra iba tan pedo que no alcanzó a verlo y se embarró contra él y los huesos de la pierna se le hicieron polvo; los doctores dijeron que iban a mocharlo, y él dijo que no, que ni madres, que no le hacía que la pata le quedara chueca o que le faltaran pedazos de hueso, que su pata era suya de él y que nadie iba a cortársela, y los doctores dijeron que nel, que no se podía; que esa pierna ya nunca iba a servirle para nada de todas formas, y que además representaba un riesgo de infección demasiado elevado, pero Munra se aferró y con ayuda de la Chabela se escapó del hospital un día antes de que se la cortaran, y al final los trabó a todos los doctores, putos, porque la pata no se le infectó ni se le murió, nomás le quedó como metida para adentro, ¿no?, como doblada del pie, pero con todo y eso podía caminar, incluso sin las muletas podía dar sus buenos pasos, ¿verdad? No era como que a huevo tenía que estar amarrado a una silla de ruedas, ¿verdad? Y además tenía la camioneta; esa se la había comprado a un viejito en Matacocuite que se la trajo de Texas, bien barata que le salió, treinta mil varos, la mitad de lo que le dieron los de la empresa del camión que lo atropelló como compensación por el accidente. Aquella camioneta le había salido bastante buena y cuando se iba a la carretera montado en ella a cien por hora sobre la recta con las ventanillas abiertas y viéndolo todo desde arriba, bien padrote, era un poco como si el accidente no hubiera sucedido nunca, como si él todavía fuera el mismo bato que andaba por toda la costa en moto, llevando los pedimentos entre las agencias de la costa, el cabrón que bailaba salsa hasta que le amanecía y que agarraba a la Chabela y la cargaba y le callaba el hocico a besos y se la clavaba contra la pared hasta hacerla venirse en pedos, hija de la verga, ¿dónde carajos estaba? ¿Por qué coño no le hablaba? Ningún cliente se quedaba tres días en el Excálibur, que no dijera mamadas; ni que hubiera tantas viejas ahí para empezar, y ni que estuvieran tan buenas. ¿Se habría largado con algún cabrón al Puerto, sin avisarle? No sería la primera vez que lo hacía, cabrona, la navidad del año anterior acabó en Guadalajara, la muy puta, según ella trabajando, chamba es chamba decía siempre y Munra generalmente estaba de acuerdo pero aquello era ya demasiado, aquello más bien le olía a que esa hija de la chingada estaba encerrada en un cuarto del Paradiso, con unos pomos de whisky y metiéndose perico como aspiradora con el pinche puto del Barrabás, mamándole la verga por puro gusto, y que era por eso que cada vez que le marcaba al celular le respondía una grabadora que recitaba que el número que marcó se encuentra apagado o fuera del área de servicio, y era ya de noche y Munra estaba lo suficientemente pedo como para pensar en darse una vueltita frente al estacionamiento del Paradiso, a ver si veía la camioneta *lobo* del puto ese del Barrabás, aunque lo torcieran los rufianes esos que siempre lo acompañaban a todas partes, media docena de cabrones sombrerudos, de quijada chueca y ojos asesinos, y cuando se vino a dar cuenta ya estaba trepado en la camioneta y enfilaba hacia su casa. Que se fuera a la verga Chabela, pensó, y por poco rodó al bajarse y ni siquiera se desnudó para acostarse, nomás se dejó caer de bruces sobre la cama, encima de las sábanas revueltas y los brasieres y las peinetas de Chabela y tuvo un sueño que lo hizo despertar poco antes del amanecer, un sueño en donde él era un fantasma que caminaba por las calles del pueblo queriendo hablarle a la gente pero la gente no lo pelaba ni notaba su presencia porque no podían verlo, nadie podía verlo, era un fantasma y solo los niños chiquitos alcanzaban a verlo y cuando él les hablaba los niños lloraban espantados y Munra se ponía muy triste; y de repente las calles desaparecían y él estaba caminando por el monte y atravesaba cerros y bosques y praderas y sembradíos y ranchos desolados hasta que de pronto llegaba a otro pueblo y vagando por las calles se topaba con una casa muy conocida, la casa de su abuelita Mircea, y entraba por la cocina que siempre estaba abierta y se asomaba a la sala y ahí estaba su abuelita, sentada sobre su mecedora, como siempre la recordaba, como si no llevara muerta más de veinte años, porque en el sueño él era el muerto y su abuela estaba viva y aunque ella tampoco podía verlo sí alcanzaba a sentirlo, y hasta escucharlo, pero poquito, como desde muy lejos, y Munra se desesperaba porque tenía algo muy importante que decirle a su abuela, algo que no pudo recordar cuando despertó pero que en el sueño era realmente apremiante, algo que debía advertirle a toda costa pero que no lograba comunicarle porque ya solo podía hablar en el idioma de los muertos y ella no le entendía, a pesar de que él se desgañitaba tratando de hacerla comprender, y su abuela, que de verdad era una santa, tan sensible siempre, tan luminosa, su abuela que en paz descanse, doña Mircea Bautista, le sonreía y le decía que se calmara, que no se preocupara, que tenía que ser muy bueno y estar muy tranquilo para que ya pronto pudiera irse al cielo, con una voz calma y serena que puso muy triste a Munra cuando al fin despertó, con el olor de la pomada que doña Mircea se pasaba untándose en las manos, ahí pegado a sus narices aunque él era perfectamente consciente de que se hallaba sobre su cama, en la recámara que compartía con su mujer y que tenía la espalda empapada de sudor que él sentía más bien frío a pesar del calor encerrado que se sentía en aquel cuarto. Quería seguir durmiendo pero el bochorno y un dolor de cabeza que aumentaba de intensidad conforme los minutos transcurrían lo hicieron levantarse al poco rato, desnudarse hasta quedar en pura trusa y, apoyado en la muleta, salió del cuarto y entró al excusado y luego se fue derecho al patio para darse un baño a jicarazos junto al tambo de agua limpia. Estaba enjuagándose el jabón cuando vio de pronto pasar al chamaco, descalzo y sin camisa, mugroso como si se hubiera revolcado en la vereda, caminando a trompicones derechito hasta la parte de atrás del terreno, atrás de su casa, donde Munra no podía verlo; y ahí se quedó un buen rato, porque a Munra hasta le dio tiempo de enjuagarse y entrar a la casa y secarse y ponerse calzones limpios y volver a salir al patio y cruzar el terreno hasta el cuarto del chamaco y ver qué era lo que hacía ahí parado detrás de su casita, mirando un agujero abierto en la tierra, un hoyo como de medio metro de profundidad que el chamaco contemplaba como pasmado, sin percatarse siquiera de la presencia de Munra a su lado, porque cuando Munra al fin dijo: quéseso, tú, el chamaco respingó y se giró para mirarlo con cara de espanto, como si Munra lo hubiera sorprendido haciendo algo prohibido, pero esa cara le duró uno o dos segundos a lo sumo porque en seguida pareció recobrarse y abrió la boca y dijo: nada, y Munra desvió la mirada hacia el agujero y luego la posó sobre las manos del chamaco, sucias hasta los codos, las uñas negras de la tierra que seguramente él mismo había excavado con las manos. ¿Qué había desenterrado ese pinche escuincle?, se preguntó Munra, y tal vez fue debido a que el recuerdo de su sueño persistía en su memoria, pero recordó que una vez hacía muchos años, cuando él era muy chico aún y vivía con su mamá en casa de su abuelita Mircea en Gutiérrez de la Torre, una vecina, una señora ya grande que vivía en la casa de al lado mandó a cambiar la tubería de su casa y los hombres que excavaron frente a la entrada encontraron una cosa que su abuela llamó un trabajo, un trabajo de brujería: un frasco de mayonesa de los grandotes con un sapo inmenso flotando dentro, un sapo muerto y a medias descompuesto que nadaba en un líquido turbio junto con un par de cabezas de ajo y unos ramos de yerbas, y quién sabe qué otras porquerías que Munra ya no alcanzó a ver porque su madre le tapó los ojos y se lo llevó de ahí, pero aun así él empezó a sentir un dolor de cabeza tremendo y su abuela tuvo que llegar a limpiarlo con unas ramas de albahaca y un huevo que le pasó por la frente y que después rompió y estaba todo podrido por dentro, y le explicó que aquella cosa tan fea que los hombres habían desenterrado era un trabajo que alguna persona malvada había puesto ahí para hacerles brujería a los vecinos; que gracias a un poderoso maleficio el sapo entraba al cuerpo de la persona que tenía la mala fortuna de pisar el sitio en donde el trabajo estaba enterrado, y que una vez dentro de uno, el sapo aquel comenzaba a comerse los órganos del embrujado, a llenarlo de inmundicias hasta matarlo, y Munra, que en ese entonces era un chamaco de unos cinco o seis años, no se acordaba bien cómo pero después se enteró que a esa señora el marido se le había muerto meses atrás a causa de una enfermedad que nadie supo bien qué era, algo del hígado decían, y Munra todavía estuvo un buen rato con los dolores de cabeza que su abuela le aliviaba pasándole manojos de albahaca por el cuerpo y frotándole con alcohol las sienes, y a veces le costaba trabajo dormir porque no podía evitar pensar que a lo mejor él jugando o haciendo algún mandado tal vez había pisado el trabajo enterrado, y que a lo mejor en aquel mismo momento ese animal repugnante le devoraba el cerebro desde adentro y no tardaría en matarlo, aunque con el tiempo esa angustia se le fue olvidando, tan así que no había vuelto a acordarse de todo eso hasta que vio el agujero que el chamaco seguramente había rascado con las uñas, y con la sensación de que tal vez aún no había despertado, de que seguía atrapado en aquel extraño sueño en donde él ya estaba muerto y convertido en ánima en pena, le volvió a preguntar al chamaco qué era eso, ya no porque le interesara su respuesta —Munra ya estaba convencido de que aquello era un trabajo de brujería, no había otra explicación—, sino para asegurarse de que el chamaco pudiera escucharlo, y comprobar así que no seguía atrapado en aquel horrible sueño, pero como Luismi nomás se le quedaba viendo con cara de pendejo, como si no lo reconociera, el Munra tuvo que llevarse una mano a la oreja para pellizcarse y comprobar que estaba despierto, que no estaba muerto, y se sintió un poquito mejor. Quémalo, le ordenó al chamaco. Lo que sea que encontraste ahí dentro, quémalo. Y el chamaco señaló una lata chamuscada que estaba al pie de una palmera cercana y dijo, con una voz chirriante y la lengua como entumida por culpa de las pastillas, que sí, que ya lo había quemado, en el interior de aquella lata, y que justo venía de tirar las cenizas al río; que porque en la noche había escuchado ruidos detrás de su casita y cuando salió a ver qué era se encontró con un perro allí afuera, un animal enorme y blanco como un lobo, rasqueteando en el sitio del agujero, y que así fue como lo había encontrado, y Munra dio un paso para atrás porque si bien se sentía un poco más tranquilo de no estar atrapado en el sueño aquel y de que ya no hubiera ningún sapo embrujado en el agujero, de todos modos le parecía que algo de la malignidad de aquel hechizo persistía en el aire: podía sentir su pesadez sobre las sienes, él que siempre fue tan sensible a esas cosas. No debiste tocarlo con las manos, le dijo al chamaco; ahora tienes que lavarte. Mejor vámonos de aquí hasta que los miasmas se dispersen, le propuso; no vaya a ser de malas. Y es que a Munra también le urgía largarse de la casa para comprobar si era cierta su sospecha de que Chabela estaba en el motel Paradiso con el cabrón del Barrabás, y por eso le ordenó al chamaco que se alistara mientras él volvía a la casa para terminar de vestirse y agarrar las llaves de la camioneta, el celular y el dinero que le quedaba. Pero cuando salió a la vereda se dio cuenta de que el chamaco no lo había escuchado: estaba ahí parado junto al vehículo, según él ya listo para marcharse, pero todo mugroso aún, hediondo a chivo y sin zapatos y con la cara tiznada de ceniza. Munra tuvo que decirle: Loco, yo así no te llevo a ningún lado; apestas bien culero, no mames, aunque sea lávate las axilas. Y el chamaco se fue hacia el tambo y metió la cabezota en el agua limpia, como caballo, y estuvo haciendo buzos un rato, hasta que la mayor parte de la mugre se le escurrió, y luego Munra tuvo que prestarle una playera porque el cabrón ya no tenía ropa limpia, pero todo fuera por largarse un rato de aquella casa, ponerse en movimiento, pensó Munra, buscar a Chabela pero antes echar una cerveza con *clamato* en el Sarajuana, que resultó estar cerrado porque como les informó la nieta de la Sara cuando les abrió la puerta en camisón, apenas iban a dar las nueve de la mañana y no estén mamando, pinches borrachos, y ya no les quedó más remedio que cruzar la carretera y entrar a El Metedero, donde las empanadas de jaiba que les ofrecieron como botana estaban duras y grasientas pero la cerveza bien fría y el ruido de la música tranquilizaba a Munra porque le impedía pensar en nada, aunque quién sabe qué le pasaba al chamaco que después de la primera ronda se puso todo como acelerado y hasta se acercó más al Munra para poder expresarle, por encima del estruendo de las bocinas, una serie de quejas y de lloriqueos sobre lo mal que se sentía últimamente, con todas las cosas culeras que estaban pasándole, algo realmente raro porque generalmente el chamaco nunca le contaba a él sus penas, pero ahí estaba el cabrón gimoteándole al oído con su aliento avinagrado lo mucho que estaba sufriendo, lo maldito y lo salado que se sentía de que nada le salía bien como para que encima pasara lo de la Norma y se la quitaran así a lo mierda sin decirle cómo estaba la pobre ni qué pasaría con ella y con el bebé, a dónde se los llevarían y si algún día podría volver a verlos, y además estaba lo de la chamba de la Compañía y su amigo el ingeniero que hacía meses que se había desaparecido y ya no le contestaba las llamadas, y todo eso había pasado justo después de que se peleó con la Bruja, a principios de aquel año, por un dinero que la pinche loca decía que él se había robado, pero no era cierto, alguien se lo había robado a él, o en la loquera se le había perdido, pero la Bruja no quiso creerle y lo había mandado al carajo, y ahora seguramente le estaba haciendo brujería, a él y a Norma, para destruirlos, y Munra nomás lanzaba miradas nerviosas a la pantalla de su teléfono, y volteaba la cara hacia la pista, no porque las pinches viejas guangas que ahí bailaban pegadas de cachetito realmente le interesaran, sino porque la simple mención de la Bruja lo ponía nervioso y de malas, y el pinche chamaco bien que lo sabía, bien que sabía que a Munra le cagaba escuchar los detalles de las pinches transas que los chamacos del pueblo tenían con el cacho mariposón ese. Él qué necesidad tenía de saber esas cosas, tener esa mierda metida en la cabeza, ¿verdad? Como le decía siempre a la Chabela, mija, qué bien que tus clientes sean finísimas personas, todos unos pinches caballeros, pero a mí no me cuentes, no me des ningún detalle, no quiero saber cómo se llaman, ni de dónde son, ni si la tienen gorda o flaca o chueca o de dos colores, porque esa pinche Chabela siempre quería contarle de las cosas del trabajo, y de los cabrones con los que se metía y de sus pleitos con las otras pinches viejas que trabajaban en el Excálibur, pero a Munra no le gustaba; él lo que quería era estar tranquilo; que ella hiciera lo que tuviera que hacer y que Dios la bendijera, pero a mí no me cuentes nada, Chabela, tenía que andarle diciendo a cada rato, y con el chamaco nunca había tenido necesidad de pedirle que no le contara nada porque generalmente su hijastro era un sujeto reservado, pero ese día, con ese acelere tan raro que traía, nomás no terminaba por callarse, y Munra, para cambiarle el tema, para escaparse de las imágenes que empezaban a formársele en la cabeza, se levantó de pronto y se llevó el teléfono al oído, como si hubiera estado sonando, y le dijo a Luismi: aguántame tantito, y agarró la muleta y salió de El Metedero, dizque para escuchar mejor la llamada, y afuera, recargado en su camioneta, aprovechó para marcarle a su mujer pero su número seguía desconectado. Pinche Chabela, seguro que a huevo andaba con el puto de Barrabás, a huevo que así era, a huevo que en ese momento los dos estaban culeando en el motel Paradiso o en cualquier otro nido de ratas de la carretera o tal vez ahí mismo en el interior de la camioneta de Barrabás, hijo de la verga, y la otra pinche puta qué se creía: ¿Que el Munra era un pendejo? ¿Que no se daba cuenta de nada? ¿Que podía llegar tres días después a la casa y decir que había estado trabajando y que no habría pedo? Y sin pensarlo dos veces se subió a la camioneta y con el acelerador hasta el fondo condujo los diez kilómetros que lo separaban del motel Paradiso, que estaba vacío, completamente vacío, cosa rara para ser fin de quincena, y sin detenerse a preguntar nada se siguió de largo varios kilómetros hasta llegar a la entrada de Matacocuite, donde se alzaba la mole de cemento pintado de rosa mexicano del Excálibur Gentleman's Club, frente al cual tampoco estaba estacionada la famosa camioneta del hijo de su puta madre norteño ese ni había señal alguna de los malandros sombrerudos que siempre estaban alrededor del Barrabás, nada, hasta la cortina de metal del negocio estaba cerrada, aunque sin candados, y Munra suspiró aliviado porque en el fondo quién sabe si realmente hubiera tenido los huevos de sacar a Chabela de los pelos de la periquiza maratónica en la que seguramente andaba sin que ella le sacara los ojos con las uñas o le reventara los huevos a patadas, deja tú, enfrentarse a los matones armados de Barrabás. Pasó de largo sin detenerse y giró en el retorno y entró a la gasolinera y sacó su teléfono celular y procedió a pulsar el mensaje más crudo y dolido y lleno de odio y encono que jamás antes un hombre le dedicó a su mujer, un mensaje terrible que la haría cagarse y mearse y llorar de arrepentimiento por haberlo tratado de esa manera, pero antes de que pudiera enviarlo el aparato zumbó entre sus manos y él casi lo deja caer al suelo de la camioneta por la sorpresa, y por un segundo pensó que se trataba de Chabela pero era solo un mensaje del pinche chamaco, un mensaje que decía: k pedo bamos a segur chupando, al que Munra respondió: donde estas, y a su vez, el chamaco: en el parque de Villa. Munra miró el indicador del combustible y pensó que lo más sensato sería regresar a La Matosa y pedirle fiado a doña Concha un litro de caña, y chupárselo entero en la cama mientras esperaba el regreso de Chabela hasta perder la conciencia o morir, lo que sucediera primero, y en eso sonó el teléfono de nuevo y era otra vez ese pinche chamaco que decía que había conseguido dinero, que le pagaría la gasolina para que le hiciera el paro de llevarlo a un jale, por lo cual el declarante entendió que su hijastro necesitaba que le hiciera el favor de llevarlo a un lugar en donde podría conseguir dinero para seguir bebiendo, propuesta que el declarante aceptó, por lo que a bordo de su camioneta cerrada marca Lumina, color azul con gris, modelo mil novecientos noventa y uno, con placas del estado de Texas erre ge equis quinientos once, se dirigió al punto de reunión señalado, precisamente las bancas del parque frente al Palacio Municipal de Villa, en donde se encontró a su hijastro, que se encontraba acompañado de otros dos sujetos, uno de los cuales conocía bajo el apodo de Willy, de oficio vendedor de películas en el mercado de Villa, de aproximadamente treinta y cinco o cuarenta años de edad, de pelo largo, negro con algunas canas, y que iba vestido como regularmente acostumbra, con playera de motivo roquero y botas militares negras, de esas que les dicen de casquillo, y la otra persona era un muchacho que solo sabía que le decían el Brando, pero no sabía si era su apodo o su nombre de verdad, como de dieciocho años de edad, delgado, ojos negros y pelo negro cortito y parado, moreno claro, bermudas cafés y playera del Manchester con el número del Chicharito en la espalda, además de su hijastro, cuya descripción ya hizo, y fue en compañía de estas tres personas que estuvo conviviendo durante aproximadamente dos horas, lapso en el que se dedicaron a ingerir en la vía pública varios litros de una bebida de sabor naranja con aguardiente de caña que el muchacho apodado Brando llevó ya preparada en un galón de plástico, así como un cigarrillo de marihuana y ellos, es decir el Luismi y el Brando y el Willy consumieron también pastillas psicotrópicas de las que el declarante desconoce la marca o tipo, hasta las dos de la tarde, hora en que su hijastro le preguntó si siempre sí iba a hacerle el paro que le había pedido, y yo le dije que no tenía gasolina, que tenía que darme dinero primero, y ahí fue cuando me di cuenta de que quien llevaba el dinero era Brando, porque él fue quien me dio un billete de a cincuenta y me dijo: llévanos a La Matosa, y yo le dije: pero que sean cien varos, y el Brando dijo: cincuenta ahorita y cincuenta de regreso, y yo me mostré de acuerdo y nos fuimos, todos menos el Willy que se quedó inconsciente sobre la banca del parque y no vio cuando nos subimos a la camioneta y enfilamos hacia la gasolinera, donde le puse los cincuenta varos a la camioneta y posteriormente conduje hacia La Matosa, por el camino principal del pueblo, por indicaciones de Brando, y luego a mano derecha, sobre la vereda que lleva al Ingenio. Fue en ese momento que me di cuenta de que los chamacos querían que me dirigiera a casa de la persona que apodan la Bruja, y me molesté porque no me gusta frecuentar esos rumbos, principalmente por las cosas que dice la gente que suceden en esa casa, pero me quedé callado porque yo sabía que los chamacos solo irían a pedirle dinero a esta persona, que no iban a quedarse mucho rato ahí adentro sino que la cosa era de entrada por salida, y que yo podía quedarme esperando en el auto y después nos iríamos a seguir la peda, o eso fue lo que el Brando le explicó, después de que le ordenara estacionarse junto a un palo que hay ahí como a veinte metros de la casa de la Bruja, y le dijo que no se moviera, que no tardarían, que no se le ocurriera bajarse ni cerrar la puerta lateral de la camioneta, y el Luismi no decía nada pero yo noté que estaba muy nervioso, que los dos estaban muy nerviosos y que ya casi ni se les notaba la peda, y yo pensé que era muy raro pero no hice ningún comentario, y total que se fueron, y en ese momento el Munra no se dio cuenta de que uno de ellos se había llevado su muleta, y cuando se asomó por el espejo retrovisor los dos muchachos ya habían dado la vuelta a la fachada para entrar por la puerta de la cocina, que es por donde una vez el declarante había ingresado en aquel domicilio, la única vez en su vida, hacía ya más de ocho años porque en ese tiempo Munra todavía tenía la moto y el accidente aún no había pasado y Chabela lo llevó a que según le hicieran una limpia, pero cuando la puerta se abrió y Munra vio lo cochino que estaba ahí dentro, todo lleno de mugre y la cocina apestosa a comida descompuesta y la pared del otro lado, la que daba al pasillo, estaba cubierta de imágenes pornográficas y rayones con pintura de lata y unos signos cabalísticos que quién sabe qué decían, y le dio desconfianza, porque además él no era de esos rumbos, él era originario de Gutiérrez de la Torre y hasta entonces nadie le había dicho que la tal Bruja era en realidad un hombre, un señor como de cuarenta o cuarenta y cinco años de edad en aquel entonces, vestido con ropas negras de mujer, y las uñas bien largas y pintadas también de negro, espantosas, y aunque llevaba puesta una cosa como velo que le tapaba la cara nomás con escucharle la voz y verle las manos uno se daba cuenta de que se trataba de un homosexual y le dijo a Chabela que siempre ya no quería la limpia, que había cambiado de opinión, porque le daba grima que el choto ese le pusiera las manos encima, y la Chabela se enojó y luego andaba diciendo que lo de su accidente le pasó por no haberse hecho esa limpia, que Dios le había castigado por soberbio, aunque Munra más bien sospechaba que a lo mejor fue la tal Bruja la que lo saló por haberle hecho el feo aquel día, y solo por eso era que él conocía la entrada a la cocina de esa casa, y no porque personalmente tuviera tratos con esa persona, por el motivo que ya les indiqué de que sus costumbres y su apariencia me parecían repugnantes, pero en ningún momento manifesté yo el deseo de hacerle daño a esta persona, yo no vi nada, ya se los dije, yo no vi nada ni supe qué fue lo que pasó, qué fue lo que le hicieron, no vi cuando la mataron porque míreme, mi comandante, yo no puedo ni caminar, estoy inválido desde febrero del 2004; no sé de qué dinero me está hablando, yo le juro que esos cabrones chamacos no me dijeron nada de lo que se tramaban, nomás me dieron los cincuenta varos para la gasolina y lo demás que me prometieron ni me lo dieron nunca. Yo pensé que nomás iban a transar con la Bruja, qué iba yo a pensar que lo que querían era matarla, yo ni me bajé de la camioneta, me quedé todo el tiempo ahí detrás del volante, esperando a que salieran, porque los cabrones se tardaron bastante ahí dentro de la casa, y Munra ya estaba muy nervioso y a punto de largarse cuando finalmente escuchó los gritos de Luismi y se volvió para verlos llegar hasta la puerta corrediza, entre cargando y arrastrando a una persona inconsciente a la que metieron al interior del vehículo y que empujaron contra el suelo y su hijastro y el otro chamaco gritaron arranca, arranca, y Munra hundió el pedal hasta el fondo y la camioneta salió volando por la vereda en dirección del Ingenio, pero en vez de seguirse derecho para el río los chamacos le dijeron que jalara hacia otro sendero, hacia los sembradíos que están a espaldas del complejo, un paraje que Munra ya conocía, donde por las tardes a veces iba con Luismi y con otros amigos a tomar el fresco bajo unos árboles que había junto al canal de riego, a fumar mariguana mientras contemplaban el mar interminable de matas a la luz mortecina del ocaso, y como no servía la radio de la camioneta alguien siempre ponía música en su teléfono, a todo volumen, y se la pasaban bien suave, y más o menos a la altura del primer recodo fue que la Bruja empezó a quejarse, a gemir como de dolor y ahogarse, y los pinches chamacos le gritaban que se callara y le daban de patadas y pisotones y entonces una vez que llegaron al canal le dijeron: párate aquí, párate, y Munra les obedeció, y ellos bajaron a la Bruja, o más bien la arrastraron del pelo y de la ropa hasta que la tiraron al suelo, y Munra vio que esta persona tenía el cabello todo enmarañado y mojado, completamente empapado de lo que después se dio cuenta que era sangre, porque todo el suelo de su camioneta quedó embarrado, aunque en ese momento él no lo sabía ni trató de averiguarlo. Se quedó ahí nomás, detrás del volante, con las manos sobre los muslos y la mirada clavada en las hileras de caña chaparra, caña sedienta que aguardaba la temporada de lluvias, matas y matas de caña que llegaban hasta la ribera y todavía más allá, hasta los cerros azules, y la verdad, la verdad, la mera verdad era que él sí tenía ganas de ver, porque estaba casi seguro de que los chamacos iban a desnudar a la Bruja y a tirarla a las aguas del canal de puro desmadre, como él ya había visto que la banda hacía de pura broma, vaya, de puro cotorreo, pero algo le impidió volverse, algo lo dejó todo tieso, como paralizado, al grado de que ni siquiera se atrevió a mirar por el espejo, y fue la sensación de que no estaba solo, de que había alguien con él en la camioneta, alguien que ahora avanzaba desde la parte trasera hasta donde Munra se encontraba sentado, y hasta podía escuchar el ruido que hacían los resortes de los asientos al removerse bajo el peso de esa persona o cosa o lo que fuera, y Munra recordó su sueño y pensó en su abuelita Mircea y en lo que ella siempre decía cuando alguien mencionaba al demonio: guárdame, Dios, en ti confío, susurró; oh, alma mía, dijiste a Jehová tú eres mi señor, y una racha de viento súbito, húmedo casi, se coló por la ventanilla de la camioneta, un aire necio, como de lluvia inminente, que de pronto aplastaba las matas agostadas contra la tierra y, a lo lejos, en medio del cielo, un nubarrón tapó al sol y un relámpago mudo cayó en medio de las montañas lejanas, sin emitir un solo ruido, ni siquiera un chasquido cuando partió aquel árbol seco y lo calcinó de golpe, y por un momento Munra pensó que se había quedado sordo, porque los cabrones aquellos tuvieron que gritarle al oído y sacudirlo para que reaccionara, para que girara la llave del auto sin recordar que el motor ya estaba encendido y quitara el freno de mano y salieran despedidos, sin que pudiera entender lo que aquellos dos se decían porque mientras él conducía con los ojos fijos en el camino de tierra ellos atrás gritaban y reían y a veces se escuchaba como si se estuvieran golpeando, y cuando se vino a dar cuenta ya era de noche y habían pasado Playa de Vacas y subían hacia Villa por la avenida principal hasta el parque del

Ayuntamiento, que a esa hora estaba lleno de gente que paseaba y tomaba el fresco en las bancas, y unos chamacos de la banda de guerra de la secundaria practicaban para la marcha del primero de mayo de aquel lunes, y todo lucía tan normal y tan pacífico porque los chamacos al fin se habían calmado, y unas cuadras más adelante el Brando le pidió que lo dejaran en una esquina y Munra se detuvo y el Brando se bajó, y solo cuando se alejó corriendo se dio cuenta de que el chamaco ya no llevaba puesta la playera del Manchester, sino una camiseta negra, y entonces el Luismi se pasó para el asiento de adelante y empezó a canturrear, como a veces hacía cuando estaba solo en su casita y creía que nadie lo escuchaba, y mientras conducía hacia La Matosa, Munra pensó que todo había sido una broma, una payasada de esos pinches chamacos cabrones, que se llevaban bien pesado con la Bruja y solamente querían molestarla un poco, ¿no?, pegarle un sustito; él qué iba a saber que en aquel momento esa persona estaba muerta o muriéndose en aquel predio, si nunca vio qué fue lo que le hicieron, a él nada más lo utilizaron, pinches chamacos hijos de la chingada, que le ofrecieron dinero para que los llevara y él los llevó pero no sabía lo que se tramaban, a ellos pregúntenles por el dinero, ellos son los que entraron a la casa, y además ellos son los que se la vivían metidos ahí todo el tiempo, si todo el pueblo sabía desde hace muchos años que la Bruja y el Luismi eran amantes, y que estaban peleados por un asunto de un dinero, pregúntenle al Luismi, pregúntenle al Brando; ese cabrón vive ahí a tres cuadras del parque, casi frente a las maquinitas de don Roque, una casa amarilla de portón blanco, pregúntenle a ese cabrón qué fue lo que hizo con el dinero, y dónde están los cincuenta varos que le prometieron, esos cincuenta varos que de la impresión a Munra se le olvidaron por completo y no volvió a acordarse de ellos hasta que se encontró en la cama, dando vueltas y vueltas sobre las sábanas sudadas porque quería dormirse pero cada vez que cerraba los ojos sentía que se caía hacia un abismo sin fondo, y ya no quería seguir despierto pero al mismo tiempo no podía dejar de pensar en Chabela, y pasó un buen rato marcándole una y otra vez pero su teléfono seguía desconectado, y en algún momento de la madrugada hasta pensó en ir a pedirle al chamaco una de sus pinches pastillas esas pero no se atrevió a cruzar el patio en la oscuridad, y además a esas alturas el cabrón seguramente ya se las habría zampado todas, así de atascado como era; un día de esos iba a tomarse tantas que ya no volvería a despertarse, pensó Munra, antes de sumirse en un sopor agitado.

V

Un milagro, mi hijo es un milagro, decía la mujer de la bata rosa; la prueba de que Dios existe y de que san Judas todo lo puede, hasta los casos imposibles, mira. Y bajó los ojos y sonrió radiante al crío que mamaba de su seno izquierdo: valió la pena el año de rezos, un año entero, sin falta ni un solo día, hasta cuando no podía levantarme de la cama y sentía que me moría de tristeza, hasta ese día le rezaba sus oraciones a san Juditas y le pedía que mi hijo viviera, que mi matriz lo retuviera, que no me pasara como con los otros, que tanto que me cuidaba y que tanto que tomaba vitaminas para al final acabar echándolo fuera, esa sangre que me veía en ropa cuando iba al baño y yo nomás lloraba; hasta soñaba con la sangre, soñaba que me ahogaba en ella, después de años de correr al baño nomás para enterarme de que otra vez lo había perdido: ocho veces seguidas, mana, ocho veces en los últimos tres años; te juro por Diosito santo que no te miento. Ya hasta mi doctora me regañaba y me decía: tu matriz no retiene, te falta esto, te falta lo otro, hay que hacerte cirugía y quién sabe cómo quedes, ya mejor no te embaraces, resígnate, me decía, vieja cabrona; como ella no tiene macho, ni hijos, y seguro hasta es machorra; que porque mi organismo ya estaba resentido, que por qué no mejor adoptábamos un chamaco, pinche vieja, eso fue lo que me dijo; por su culpa mi marido ya no quería hacerse ilusiones, y yo estaba segura de que no tardaba en pedirme el divorcio cuando unas amistades, unos amigos de la comadre de mi hermana me dijeron que por qué no le rezaba a san Juditas, pero bien, vaya: que me consiguiera una imagen de bulto y que la llevara a bendecir y le pusiera sus espigas y su velón de sándalo y que le rezara todos los días, con devoción y humildad, y yo me dije: pues al fin y al cabo no pierdo nada con intentarlo, y mira, san Juditas me hizo el milagro, mana, y me dio por fin a mi angelito: Ángel de Jesús Tadeo, así le vamos a poner, para darle gracias a Dios y al santito por el milagro recibido, porque eso es lo que es, ¿verdad? Un milagro. Y Ángel de Jesús Tadeo, con seis horas de nacido, agitaba sus puñitos al aire y gimoteaba, agobiado por el calor que se respiraba en la sala. Había algo en el llanto de aquel crío que a Norma, acostada en la cama de al lado, le ponía los pelos de punta, y de no haber estado amarrada al barandal de la cama, con aquellas vendas ásperas que ya le tenían la piel de las muñecas en carne viva, se habría llevado las manos a las orejas para tapárselas, para no tener que escuchar los berridos del niño, ni los arrullos melosos de las mujeres de la sala. Es más, de no haber estado amarrada a la cama ya habría salido corriendo de ahí, lo más lejos posible de aquel hospital, de aquel pueblo horrible, aunque fuera descalza y con esa especie de bata que le dejaba descubierta la espalda y las nalgas, sin nada abajo más que su propia carne tumefacta, todo con tal de alejarse de aquellas mujeres, de sus ojeras y sus estrías y sus gemidos, de sus niños flacuchos con labios de rana mamando de sus pezones negros, y sobre todo, del olor que se respiraba en la sofocante sala: a suero de leche, a sudor rancio, un olor dulzón y a la vez agrio que Norma sentía como pegado a la piel y que le recordaba todas esas tardes que pasó encerrada en el cuarto de Ciudad del Valle, cargando a Patricio y meciéndolo de un lado a otro de la habitación para que no se ahogara; frotando su diminuto pecho con la palma de su mano para calentar el aire de adentro, el aire que escapaba de la boca de su hermano en un rumor sordo, un resuello asmático que hacía a Norma pensar que los pulmones del pobre Patricio se estaban pudriendo. Pobre, quién le había mandado a nacer en el mes de enero, con el frío que hacía siempre en Ciudad del Valle, y más en ese cuarto en donde vivían en aquel entonces, a tiro de piedra de la central de autobuses: una sola pieza sin divisiones, un cajón de tabique y cemento mero atrás de un edificio de cinco pisos que les robaba todo el calorcito del sol, y por eso había veces que se amanecían echando vapor por la boca, los cinco metidos en la única cama del cuarto, debajo de las cobijas y toda la ropa que poseían extendida encima de ellos para calentarlos y el moisés del Patricio colgando encima, cerquita del foco que dejaban todo el día prendido para que de menos lo calentara un poco, para que el pobre no pasara tanto frío allá arriba, donde ninguno de ellos podría aplastarlo y asfixiarlo, el gran miedo de su madre. Porque ella sabía lo mucho que a Patricio le costaba jalar aire; Norma ya le había contado del silbido que el pobre llevaba siempre como atorado en el gañote, como si se hubiera tragado un silbato que él mismo, con sus puñitos aleteando enloquecidos en el aire helado del cuarto, trataba de expulsar con toses y jadeos, sin conseguirlo, mientras Norma lo arrullaba y lo sacudía y a veces, en su desesperación por ayudarlo, hasta le metía el dedo en la boca diminuta para ver si lograba sentir la cosa esa que lo estaba ahogando, y que Norma se imaginaba como una canica de flema verde endurecida, sin conseguirlo nunca. Su madre lo sabía; Norma se lo había contado; tal vez por eso fue que no le gritó ni le pegó ni le dijo que era una chamaca zonza que no podía hacer bien las cosas nunca, la mañana en que Patricio amaneció todo azul y tieso en el moisés que colgaba sobre la cama en donde todos los demás dormían apiñados: su madre en un extremo del colchón y Norma en el otro, y los tres hermanos chicos metidos entre las dos, porque no fuera a ser que alguno diera una voltereta y se cayera de la cama y se rompiera el cráneo contra el suelo de cemento, decía su madre, y Norma asentía resignada, y por eso permanecía toda la noche en su orilla de la cama, incluso cuando las ganas de orinar eran tan fuertes que le impedían volver a dormirse, y se quedaba inmóvil bajo las mantas y contraía los esfínteres y retenía el aire dentro de sus pulmones para tratar de distinguir la respiración de su madre por entre los ronquidos y los suspiros de sus hermanos, con ganas incluso de estirarse por encima de ellos para tocar el pecho de su madre y comprobar que todavía respiraba y que su corazón seguía latiendo y que no estaba tiesa ni helada como el pobre Patricio, mientras se aguantaba las ganas de orinar del mismo modo en que se las aguantaba en aquella cama de hospital, rodeada de mujeres desgreñadas y todos esos críos llorones, y los familiares y su cháchara insoportable: pegando los muslos, y apretando los dientes, y tensando los adoloridos músculos de su abdomen para contener la orina caliente que de cualquier modo terminaba por escapársele en un chorro delgadito y doloroso, y Norma cerraba los ojos de pura vergüenza, para no ver la mancha oscura que de pronto aparecía sobre su bata y empapaba la sábana de la cama; para no ver las narices fruncidas por el asco de las mujeres de las camas aledañas, ni las miradas acusadoras de las enfermeras, cuando al fin se dignaban a cambiarla, sin desamarrarla ni un solo instante de la cama porque esas habían sido las instrucciones de la trabajadora social: tenerla ahí prisionera hasta que la policía llegara, o hasta que Norma confesara y dijera lo que había hecho, porque ni siquiera bajo la anestesia que le inyectaron antes de que el doctor le metiera los fierros logró la trabajadora social sacarle algo a Norma, ni siquiera cómo se llamaba, ni qué edad verdaderamente tenía, ni qué era lo que se había tomado, ni quién fue la persona que se lo había dado, o dónde era que lo había botado, mucho menos por qué lo había hecho; no había podido sacarle a Norma nada, ni siquiera después de gritarle que no fuera pendeja, que dijera cómo se llamaba su novio, el cabrón que le había hecho eso, y dónde vivía, para que la policía fuera a arrestarlo, porque el muy desgraciado se había largado después de dejarla abandonada en el hospital. ¿No le daba coraje? ¿No quería que él también pagara? Y Norma, que recién comenzaba a darse cuenta de que todo aquello realmente estaba sucediendo, que no era una horrible pesadilla, apretó los labios y sacudió la cabeza y no dijo una sola palabra, ni siquiera cuando las enfermeras la desnudaron ahí enfrente de toda la gente que aguardaba su turno en el pasillo de urgencias; ni siquiera cuando el doctor calvo metió la cabeza entre sus muslos y comenzó a hurgar en aquel sexo que Norma ya no reconocía como suyo, no solo porque no lograba sentir nada por debajo de las costillas sino porque, cuando al fin logró alzar la cabeza y enfocar la mirada, se encontró con un pubis enrojecido y trasquilado que no se parecía en nada al suyo, y no conseguía creer que toda esa carne de ahí le perteneciera, toda esa piel amarillenta y erizada como el pellejo de los pollos muertos y abiertos en canal en el mercado, y ese fue el momento en el que decidieron amarrarla, según que para que se estuviera quieta mientras le metían los fierros, para que no se lastimara, pero Norma sabía que más bien era para que no se escapara, pues ganas no le faltaron de salir corriendo de aquella sala, aunque estuviera completamente desnuda y aunque la brisa que entraba por la puerta abierta al final del pasillo le hiciera temblar y castañear los dientes; una brisa que era más bien cálida, tal vez incluso bochornosa, pero que a ella, con cuarenta grados de fiebre, le parecía tan gélida como el viento que descendía por las noches de las montañas que rodeaban Ciudad del Valle, las moles azuladas, cubiertas de pinos y castaños que un catorce de febrero de hacía varios años el Pepe los llevó a conocer porque cómo era posible que Norma y sus hermanos y su madre llevaran ya tanto tiempo viviendo en Ciudad del Valle sin haber conocido los bosques; se estaban perdiendo de una cosa maravillosa, un verdadero espectáculo de la Madre Naturaleza en todo su esplendor, había dicho el payaso de Pepe. ¡La nieve, vamos a ver la nieve!, canturreaban sus hermanos mientras subían por el camino que serpenteaba entre los árboles inmensos del bosque, y al principio Norma había corrido junto a ellos, encantada con el paseo y con la vista de la ciudad a sus pies y de las nubes tan cercanas y la escarcha que cubría el suelo de líquenes y pinaza; pero quién sabe qué habría estado pensando cuando se vistió aquella madrugada, porque olvidó ponerse calcetas, y la humedad del suelo del bosque pronto se filtró por las suelas rotas de sus zapatos y los pies de Norma terminaron congelados, fríos y tiesos como el pobre Patricio, y el dolor se volvió algo insoportable y Pepe tuvo que cancelar el paseo y llevarla cargando pendiente abajo, hasta la parada de autobuses que los llevaría de regreso a la ciudad sin haber llegado a la cima de la montaña, sin haber podido tocar la nieve, ni arrojársela y hacer muñecos como en la televisión, chillaban decepcionados sus hermanos, y todo por zonza y ridícula y pendeja, había dicho su madre, por esa costumbre de Norma de arruinarlo todo siempre en el peor momento, y Norma había llorado en silencio todo el camino de regreso a casa mientras Pepe se desvivía por hacer chistes sobre el incidente, como hacía siempre que la madre estaba enojada, para contentarla, pero su madre la había mirado con el ceño fruncido todo el camino, con los mismos ojos acusadores y los labios tensos de las enfermeras después de que se enteraban del motivo por el cual Norma estaba amarrada a la cama; la misma mirada que la trabajadora social le había dirigido aquella noche que la internaron: estas cabronas no saben ni limpiarse la cola y ya quieren andar cogiendo, le voy a decir al doctor que te raspe sin anestesia, para ver si así aprendes. ¿Cómo vas a pagarle al hospital todo esto, eh? ¿Quién se va a hacer cargo de ti? Nada más vinieron y te botaron, se largaron sin que les importaras, y tú todavía de bruta que tratas de protegerlos. ¿Cómo se llama el que te hizo esto? Dime su nombre o la que se va ir a la cárcel eres tú, por encubridora, no seas tonta, muchachita, y Norma, a punto ya de desmayarse por culpa del viento helado que soplaba desde la puerta abierta del pasillo, cerró los ojos y apretó los labios y se imaginó el rostro sonriente de Luismi, los pelos alborotados aquellos, castaños casi rojos bajo la luz del sol, que tanto le habían llamado la atención cuando él se le acercó en el parque; el pobre Luismi que no tenía ni idea de lo que Norma había hecho, de lo que la Bruja había hecho, de lo que Chabela la convenció de hacer porque al principio la Bruja había dicho que no y que no y fue Chabela la que tuvo que rogarle: ándale, manita, hay que ayudarla, pobrecita; no seas culera, pinche Bruja, no te pongas con tus moños ahorita; cuántas veces no me has hecho el paro a mí, a mis chamacas, qué te cuesta, cuánto quieres que te pague, y la Bruja nomás meneaban la cabeza sin hacerle caso a Chabela, ocupada en el trajín de trastos que llevaba de un lado a otro en aquella cocina mugrosa, aquel cuarto de techo bajo y paredes retiznadas y llenas de estantes con frascos polvorientos, y dibujos de brujería y estampitas de santos con los ojos tachados y recortes de viejas chichonas mostrando el sexo abierto. Anda, pinche Bruja, si el chamaco está de acuerdo con todo esto, ¿verdad, mamacita?, le preguntó a Norma, y Norma se quedó callada un momento pero al sentir la patada de Chabela contra su pantorrilla bajo la mesa asintió enérgicamente, y la Bruja le clavó la mirada y Norma sintió un escalofrío pero logró sostenérsela, y quién sabe qué habría leído en los ojos de Norma, porque después de un rato de remover con una varilla los rescoldos que brillaban en el fogón dijo que estaba bueno, que lo haría, que le prepararía a Norma su famoso brebaje, esa cosa espesa y salada y espantosamente caliente por todo el alcohol que la Bruja le había echado, junto con manojos de yerbas y unos polvos que sacó de los pomos cochambrosos y que al final vertió dentro en frasco de vidrio que dejó frente a Norma sobre la mesa, junto a los restos de una manzana podrida que descansaba en un plato de sal gruesa, una manzana atravesada por un largo cuchillo y rodeada de pétalos muertos. La Bruja no había querido aceptar ningún dinero, un billete de doscientos pesos que Chabela de cualquier forma dejó sobre la mesa y que la Bruja miró con tanto asco que Norma pensó que seguramente lo quemaría en el momento en que ellas se largaran de aquella casa, lo que hicieron inmediatamente después de que la Bruja les entregara el brebaje, para gran alivio de Norma. Pero una vez afuera, cuando ya habían cogido la vereda para regresar a la casa de Chabela, escucharon que la Bruja les gritaba desde la puerta entreabierta de la cocina, con aquella extraña voz que tenía, ronca y atiplada al mismo tiempo, y Norma se volvió y se dio cuenta de que la Bruja se dirigía a ella, aunque se había vuelto a echar el velo sobre la cara: ¡Tienes que tomártela toda!, gritaba. ¡Tómatela entera y aguántate las bascas! ¡Vas a sentir que te desgarras por dentro pero aguanta...! ¡No tengas miedo! ¡Tú puja y puja hasta que..! ¡...Y entiérralo! Chabela tiraba de su muñeca con brusquedad; le clavaba un poco las uñas. Esa pinche loca cree que soy nueva en esto, gruñía, y se hacía la que no escuchaba nada, y apretaba aún más el paso.

¡Mejor quédate..!, suplicó por último la Bruja, pero su voz llegaba ya muy débil a esa distancia; Norma ya no alcanzó a escuchar qué más trataba de decirles la hechicera; jadeaba por el esfuerzo de seguirle el paso a Chabela y al mismo tiempo apretar el frasco en la otra mano para que no fuera a escapársele y hacerse añicos contra el suelo. Pinche Bruja, rezongaba Chabela, que se me hace que ya está chocheando; pinche exagerada, como si yo no supiera qué pedo con estas ondas, vaya; si yo fui la primera que se dio cuenta de que tenías tu pastelito en el horno, ¿verdá? Se te notaba la raya, la raya delatora, cuando te encueraste enfrente de mí para probarte el vestido que te regalé, porque el que llevabas era una garra, mamacita, ¿te acuerdas? Y Norma se acordaba bien; apenas habían pasado tres semanas desde el día en que Luismi se la llevó a su casa; tres semanas desde aquella primera noche que pasaron juntos, casi en vela, contándose historias y toda clase de mentiras porque aún no se conocían bien y no sabían lo que era cierto de ellos y lo que no lo era, en susurros, sobre aquel colchón desnudo y una oscuridad casi completa porque el foco dentro de la casita de Luismi se había fundido y lo único que alcanzaban a verse era el brillo de sus dientes cada vez que se reían. Aquella noche habían terminado cogiendo, o algo parecido, en parte porque Norma se había pasado toda la velada esperando el momento en que él se abalanzaría sobre ella para cobrarse su hospitalidad a lo chino y ella tenía miedo de que entonces se diera de cuenta, de que se lo notara en la redondez del vientre, o en el sabor de la boca, pero había tenido suerte porque Luismi no llegó a besarla esa noche, y si acaso la tocó fue siempre con la punta de los dedos, caricias tímidas que a ratos se confundían con el aleteo de los insectos que ingresaban por la puerta entreabierta del cuarto, tal vez atraídos por el sudor de sus cuerpos. Se habían desvestido poco a poco, para soportar mejor el calor, un bochorno que Norma sentía que le nacía desde dentro, desde el interior de ese maldito vientre abultado que acabaría por traicionarla tan pronto Luismi extendiera la mano para manosearla, pero él no lo intentó siquiera. No hizo nada, de hecho, aquella noche, apenas algo más que permanecer ahí junto a Norma y suspirar cuando las manos de ella, ansiosas por la incertidumbre y la espera, decidieron tomar la iniciativa y se dispusieron a juguetear con la verga de Luismi, tirando de ella de la misma manera en que, años atrás, tiraban del sexo de Gustavo o del de Manolo cuando los bañaba, porque le daba risa la manera en que sus salchichitas crecían y se endurecían entre más las tocaba. Y Luismi, igual que sus hermanos, se quedó muy quieto mientras ella lo acariciaba y apenas lanzó un gruñido cuando ella decidió sentarse a horcajadas sobre sus caderas huesudas y comenzó a mecerse de atras para adelante y de arriba abajo con aquel ritmo trepidante que a Pepe tanto le gustaba, pero que a Luismi pareció dejarlo más bien indiferente, pues en ningún momento lo escuchó Norma gemir de placer, ni tampoco intentó tocarle los pechos o agarrarle las nalgas, nada; se quedó tan callado y tan inmóvil que Norma, que no alcanzaba a verle bien el rostro, llegó a pensar que se había quedado dormido debajo de ella, y sintiéndose humillada, con lágrimas en las comisuras de los ojos incluso, se apartó de él y se recostó de nuevo en el colchón, dándole la espalda, completamente empapada de sudor por culpa de todo aquel ejercicio inútil, los ojos fijos en la franja de noche aterciopelada que alcanzaba a verse por encima del tablón que Luismi colocó sobre la entrada del cuarto a modo de puerta, y estaba ya a punto de quedarse dormida cuando lo sintió removerse a su espalda, y la mano de Luismi se posó tímidamente sobre su cadera desnuda, y sus labios resecos la besaron en medio de los omóplatos, y Norma sintió un estremecimiento y volvió a buscarlo con la mano, pero esta vez fue él quien tomó la iniciativa y, sin despegar sus labios de su espalda, entró en ella de golpe, con una facilidad sorpresiva tomando en cuenta que el asalto se llevaba a cabo en un orificio distinto al de la primera vez, el único orificio del cuerpo de Norma que Pepe no había podido reclamar como suyo, porque a Norma le daba asco aquel acto, y tenía la sospecha de que le dolería muchísimo, aunque con Luismi más bien le resultó placentero, tal vez porque Luismi no trataba de estrujarla bajo su peso, o tal vez porque se movía diferente a Pepe, y entraba y salía de ella con una cadencia peculiar que de pronto, sin poderlo evitar, le hizo soltar un gemido de placer, un quejido apagado que ocasionó que Luismi volviera a quedarse muy quieto, como súbitamente petrificado de miedo, y tuvo que ser Norma la que volviera a continuar todo, ansiosa por llevarlo al clímax, por sentirlo venirse dentro de ella, desesperada casi por acabar con aquel trámite de una vez por todas, pero después de un rato interminable de sacudirse frenética, de hundirse en él hasta donde su cuerpo se lo permitía, Luismi, sin decir una sola palabra, volvió a colocar su mano sobre la cadera de Norma, y con gran delicadeza, casi disculpándose en silencio, se retiró, completamente mustio, de ella. Quién sabe qué horas serían cuando Norma por fin logró quedarse dormida, pero cuando volvió a abrir los ojos, alarmada por las punzadas que atravesaban su vejiga dolorosamente llena, se dio cuenta de que ya era de día. Trató de despertar a Luismi para que le dijera dónde estaba el sanitario, pero él no reaccionó, ni siquiera cuando ella lo tomó del hombro y lo sacudió: permaneció hecho un ovillo sobre el colchón, las puntas de sus vértebras dolorosamente visibles bajo la piel morena. Estaba tan flaco que de pronto a Norma le pareció que era incluso más joven que ella, con esos ijares marcados y aquel sexo escuálido como un caracol timorato escondido entre el bosquecillo de pelos que le nacía entre las piernas, los brazos flacos y los labios llenos, apretados en torno al pulgar que succionaba en sueños. Norma se sentó en el colchón y se echó encima el mismo vestido que llevaba puesto el día anterior, pensando que tal vez Luismi se despertaría al oírla removerse a su lado, pero él siguió durmiendo con el dedo en la boca, incluso cuando ella se levantó y movió el tablón que servía de puerta y salió al patio y se puso a orinar en cuclillas al fondo del terreno. Cuando finalmente terminó de desahogarse y de sacudir el trasero para deshacerse de la última gota de orina que amenazaba con escurrirle por la pierna, se incorporó y se bajó el vestido y miró hacia la casa de tabiques que se alzaba del otro lado del terreno, y se sorprendió al ver que una mujer de largos y rizados cabellos le hacía señas con una mano desde una de las ventanas abiertas de la casa. Norma miró a su alrededor para comprobar que no había nadie más en el patio y que la mujer, efectivamente, le hablaba a ella. No seas marrana, mamacita, fue lo primero que la mujer le dijo, cuando Norma finalmente alcanzó la ventana. La mujer le sonreía con gruesos labios pintados de rojo granate. Llevaba los hombros descubiertos y el cabello suelto y esponjado en la humedad de la mañana, como un halo castaño rojizo que rodeaba su rostro empolvado y surcado de grietas oscuras ahí donde el maquillaje se le había corrido. Seguramente es la madre de Luismi, pensó Norma, al reparar en la semejanza de aquellos cabellos con los del chico, y sintió que el rostro se le abochornaba a causa de la vergüenza. La mujer encendió un cigarrillo. Hay un baño aquí adentro, dijo, lanzando la primera bocanada por encima de la cabeza de Norma. Con la punta encendida, señaló hacia el interior de la casa. Si necesitas usarlo, nomás pasa; con confianza, que no muerdo. Norma asintió y contempló alelada las dos filas de dientes perfectos aunque amarillentos que aparecieron detrás de aquellos labios colorados, casi payasescos. Me llamo Chabela, dijo. ¿Y tú quién eres? Norma, respondió la muchacha, después de una pausa que consideró prudente. Norma, repitió Chabela, Norma... ¿Sabes qué? Eres igualita a Clarita, mi hermana la más chiquita. Hace un chingo de años que no la veo pero cómo te pareces a ella. Y de seguro eres igual de putita que la Clarita, ¿verdad? Porque vienes de cogerte a ese cabrón, ¿no?, dijo, arqueando sus finas cejas pintadas con crayón negro mientras que con la punta del cigarrillo señalaba en dirección a la casa de pedacería en donde Luismi seguía durmiendo. Norma se mordió los labios y no pudo evitar sonrojarse de nuevo cuando Chabela interpretó su silencio y soltó una estridente carcajada, seguida de un reclamo que atravesó el aire brumoso de la mañana y que seguramente se escucharía hasta la carretera: ¡Te pasas, cabrón! ¡Está bien chiquita! Y luego a Norma, con otra sonrisa, más tensa que beatífica: de verdá que sí te pareces un chingo a la pinche Clarita, mamacita; nomás que ya te urge una bañada, apestas a pescado podrido, y ese pinche vestido que traes está todo mugroso. Es el único que tengo, admitió Norma, con un hilito de voz, y Chabela entornó los ojos para demostrar su indignación. Le dio una última y apresurada calada a su cigarrillo y arrojó lo que de él quedaba hacia el patio, sin apagarlo. Con una grácil sacudida de hombro le ordenó a Norma que pasara, pero la chica titubeó. Anda, no seas mensa, gritó Chabela, antes de desaparecer de la ventana. Norma le dio la vuelta a la casa y entró en ella a través de una puerta abierta que conducía a una habitación que parecía servir de sala, comedor y cocina al mismo tiempo, un cuarto de paredes pintadas de varios tonos de verde y que olía a cenizas de cigarrillo, a cochambre de estufa, a licor metabolizado. En medio de la habitación había un hombre despatarrado en un sillón, con las piernas abiertas y las manos cruzadas sobre la barriga. Llevaba lentes oscuros y un bigote ralo y canoso y miraba un programa de concursos en la televisión, con el volumen al mínimo. Norma titubeó en el umbral; murmuró un saludo e inclinó la cabeza cuando pasó apresurada frente a la pantalla de la televisión para no molestar al hombre, aunque segundos más tarde, cuando el tipo abrió la boca y expelió un largo y estentóreo ronquido, se dio cuenta de que estaba completamente dormido. Guiándose por el olor a cigarrillo y por la voz ronca de Chabela, que no había parado de hablar ni un solo segundo, Norma avanzó por un corto pasillo y se asomó por la única puerta que encontró abierta. Esta es mi recámara, la saludó Chabela. ¿Te gusta? Pero antes de que Norma alcanzara a responder, la mujer continuó hablando: Yo elegí los colores, quería que se viera como la recámara de una geisha, ¿verdá? Por aquí tengo unos vestidos que casi ni uso; había pensado en regalárselos a las monas del Excálibur, pero esas cabronas no saben agradecer nada, son unas pinches igualadas trepadoras, que se chinguen. Norma contempló las paredes rojas y negras, las cortinas de gasa blanca más bien amarillenta por la humedad y la nicotina, la enorme cama que ocupaba casi todo el espacio de la habitación y sobre la que descansaba una enorme pila de ropa y zapatos y potes de crema y de maquillaje y ganchos de ropa y sostenes. Mira, pruébate este, le ordenó Chabela. Una prenda estampada de lunares azules sobre un fondo de lycra roja colgaba de su mano. Ándale, entra, ya quedamos en que no muerdo; no te quedes ahí pasmada, mamacita. ¿Cómo me dijiste que te llamabas? Norma abrió la boca para responder pero Chabela no hizo pausa alguna para escucharla: Este mundo es de los vivos, pontificó; y si te apendejas, te aplastan. Así que tienes que exigirle a ese chamaco cabrón que te compre ropa. No te me apendejes, que así son todos los hombres: unos pinches huevones aprovechados a los que hay que andar arreando pa' que hagan algo de provecho, y lo mismo ese pinche chamaco; o te pones verga o si no el dinero se lo va a gastar en pura droga, y al rato de pendeja te quedas tú manteniéndolo, Clarita. Te lo digo porque lo conozco, bien que lo conozco con todas sus mañas al cabrón desgraciado ese, si yo misma lo parí; así que no te me duermas y exígele; exígele que te compre ropa, que te dé para tu gasto, que te saque a pasear a Villa, que a los hombres así hay que tenerlos en chinga y bien ocupados para que no anden pensando chingaderas. Norma asintió, pero tuvo que llevarse una mano a la boca para taparse la sonrisa que se le escapó cuando Chabela calló un instante y las dos pudieron escuchar los ronquidos estruendosos que lanzaba el hombre dormido de la sala. Pinche Clarita, ya te vi que te estás cagando de risa, cabrona, le reclamó Chabela, aunque ella también sonreía mostrando sus enormes dientes cetrinos. Así como lo ves, ese pinche estorbo un día fue un hombre de verdá, un cabrón bien plantado, antes de que tuviera su accidente. Me lo desgraciaron bien gacho, Clarita; lo volvieron un pinche inútil, pinche borracho de mierda que ni un café es capaz de prepararme cuando regreso toda madreada de la chamba. Ya tendría que haberlo mandado a la verga, ¿verdá? Cambiarlo por modelo del año, un hombre de a deveras; mira que pretendientes me sobran, ¿eh? Así de ruca como me ves, todavía se voltean a verme cuando me aparezco en Villa y nomás con tronar los dedos yo podría tener aquí mismo una fila de cabrones peleándose para ver quién es más digno de estar conmigo, de ganarse mis favores… Pero pásale, Clarita, no te me apendejes, mamacita. Y Norma caminó hacia el centro del cuarto, con el vestido en la mano, aturdida por el parloteo atropellado de Chabela y por el humo de los cigarrillos que la mujer no dejaba de fumar mientras hablaba, sin toser ni ahogarse aunque se dejara el cigarro entre los dientes mientras se agachaba para recoger cosas del suelo y colocarlas luego sobre la cama, o para tomar prendas que yacían amontonadas sobre la colcha y arrojarlas con desinterés al suelo. ¿Tú qué dices, Clarita? ¿Lo mando a la verga o lo sigo manteniendo, al pinche cojo culero ese? Al fin que esta es mi casa, carajo; levantada con el sudor de mis nalgas; ni te creas que ese pendejo movió un pinche dedo para construir todo esto. Chabela alzó las manos con las palmas vueltas hacia arriba, y giró en derredor para señalar los muebles y las cosas de la habitación, las paredes y las cortinas, y aparentemente la casa completa y el terreno en el que se levantaba, y tal vez incluso hasta el poblado entero. Norma se mordió los labios, angustiada por el peso que cobraría su respuesta, pero afortunadamente Chabela continuó con su perorata sin esperar la intervención de la muchacha. Por eso tienes que ponerte buza, Clarita; tú que estás tan joven, mamacita; tú si puedes buscarte algo mejor que ese pinche chamaco pendejo. Perdón que te lo diga así, pero te hablo con el corazón: yo no sé qué chingados le viste pero seguro que te puedes encontrar algo mejor, porque tú y yo sabemos que ese cabrón nunca hará nada bueno con su vida. Si quieres yo te presto para el camión, mamacita, para que te regreses a tu pueblo o de donde chingados seas, porque me corto los huevos que no tengo si eres de La Matosa… ¿Verdá que no? Seguro ni siquiera eres de Villa… Ay, ¡Dios de mi vida! ¿Por qué sigues ahí parada como verga, Clarita? Quítate ese pinche vestido, muchacha. No me digas que te da pena, si al fin y al cabo no tienes nada que yo no tenga. ¡Ándale, pícale! Y a Norma no le quedó de otra más que sacarse el vestido de algodón que llevaba puesto y dejarlo caer al piso para enseguida meter la cabeza y los brazos en el vestido que la madre de Luismi le había dado. La tela era muy suave y se estiraba para ajustarse a los contornos del cuerpo. Se miró al espejo que colgaba sobre la única pared pintada de negro: le horrorizó ver que la panza se le notaba más que nunca. Pinche Clarita, dijo Chabela a su espalda, ¿por qué no dijistes que estás bien preñada? El rostro de la madre de Luismi apareció en el espejo, por encima del hombro de Norma. Aquella boca de labios granate sonreía con malicia. A ver, descúbrete, le ordenó, y Norma, asustada por la cercanía de la mujer y por la determinación en su voz, se inclinó ligeramente para tomar el borde del vestido y alzarlo. Chabela ignoró sus piernas velludas y su sexo desnudo y concentró su mirada voraz en la redondez de la barriga de Norma. Con una uña, pintada de verde radioactivo, siguió la línea púrpura que partía el vientre de Norma, desde el nacimiento de su vello púbico hasta el ombligo. Más que cosquillas, lo que la chica sintió fue vértigo, dentera. La raya delatora, dijo Chabela. Norma soltó la tela del vestido y volvió la cabeza para clavar su mirada en la ventana, en la fila de palmeras que aleteaban en la brisa a lo lejos, en parte porque le daba vergüenza mirar a Chabela, en parte para evitar respirar el humo de un nuevo cigarrillo encendido. ¿Es de Luismi?, preguntó la mujer. No, respondió Norma. ¿Y él sabe que estás así? La chica se encogió de hombros, pero luego meneó la cabeza. No, repitió. Miró a Chabela a través del espejo. La mujer miraba su panza con los ojos entornados, pensativa. Se cruzó de brazos y comenzó a sacudir nerviosamente la ceniza de su cigarrillo en el aire. Bueno, dijo finalmente, después de expulsar una enorme bocanada de humo desde una de las comisuras de su boca; no vamos a decirle nada por el momento, ¿verdá? Norma se le quedó mirando a través del reflejo. Porque tú no quieres tenerlo, ¿o sí? Norma sintió que las orejas se le calentaban; otra vez tenía los cachetes encendidos. Porque si no quieres tenerlo, yo conozco a alguien que puede ayudarte, alguien que sabe cómo arreglar estas cosas. Está medio chiflada, la pobre, y la verdad es que da un poquito de miedo, pero en el fondo es bien buena gente, y vas a ver que ni va a querer cobrarnos. No tienes idea de la cantidad de apuros de los que nos ha sacado a mí y a las muchachas del Excálibur. Podemos decirle que te haga el paro, si no quieres tenerlo, ¿o sí quieres tenerlo? Tienes que decidirte, mamacita, y bien pronto, porque esa panzota no va a ponerse más chica. Norma no podía mirar a Chabela a los ojos, ni siquiera a través del espejo, así que clavó su mirada en su propio cuerpo. No solo estaba más barrigona que nunca; ahora también los pechos le colgaban, una o hasta dos copas más grandes, no estaba muy segura. Una semana atrás había dejado de usar el único sostén que poseía, y por supuesto que no lo llevaba puesto el día que decidió huir de su casa: ya ni siquiera le quedaba. Solo aquel vestido le venía, el vestido de algodón que ahora Chabela cogía del suelo con dos dedos y cara de asco; el vestido que llevaba puesto cuando decidió huir de Ciudad del Valle, y los zapatos abiertos, y un suéter que pronto le resultó inservible en el calorón que empezó a hacer cuando el autobús descendió hacia la costa, y que Norma no supo dónde fue que lo olvidó. Seguramente se quedó en el asiento del autobús, cuando el chofer la despertó para que se bajara. O tal vez lo dejaría en el carrizal aquel en donde tuvo que esconderse cuando aquellos tipos de la camioneta se pusieron a acosarla. Por un segundo, estimulada por el conspicuo mutismo de Chabela, estuvo a punto de abrir la boca y contarle todo: todo, sin escatimar nada, pero una voz que gritaba su nombre desde el patio la distrajo. Era Luismi, del otro lado de la ventana; Luismi en calzoncillos, con los ojos entrecerrados por el sol del mediodía (¿o por el enfado?) y los cabellos enmarañados. ¿Qué haces ahí?, le dijo a Norma, cuando al fin la distinguió entre la penumbra del cuarto. Qué chingados te importa, pendejo, entrometido, le gritó Chabela, con un nuevo cigarrillo en los labios. Luismi miró a su madre como si quisiera aniquilarla con la mirada; frunció los labios en un puchero terrible y se dio la media vuelta y se alejó hacia aquella covacha torcida y a punto de caerse a pedazos que él llamaba casita. Norma decidió seguirlo. Le dio las gracias a Chabela por el vestido y cruzó corriendo la sala, donde el hombre aún dormitaba con el televisor encendido. No quiero que hables con ella, fue lo primero que Luismi le dijo, cuando Norma entró a la casita. No quiero que hables con ella ni que vayas a esa casa, ¿me entendiste? No le alzó la voz al ordenárselo, pero le apretó el brazo tan fuerte que le dejó los dedos marcados. Si quieres mear, ve allá atrás, continuó, pero no quiero que vayas para allá, no quiero que te convierta en una de sus putas, ¿me entendiste? Norma le había dicho que sí, que sí entendía, e incluso le había pedido perdón, aunque ni siquiera sabía de qué se estaba disculpando, pero en los siguientes días, mientras Luismi se quedaba roncando en el colchón, a veces hasta bien entrada la tarde, Norma, incapaz de soportar el calor infernal de las láminas del techo de la covacha, se levantaba a hurtadillas y se escabullía hacia la casa de tabiques, del otro lado del terreno, a la cocina de Chabela. Entraba por la puerta que siempre se quedaba abierta y preparaba café y huevos y frijoles refritos o arroz con plátanos maduros o chilaquiles o lo que pudiera con lo que hallaba en la despensa, antes incluso de que Munra, el marido de Chabela, se despertara. Para entonces Chabela ya había vuelto del trabajo y entrado a la casa haciendo ruido con los tacones de sus zapatillas, con los rizos desmelenados y los ojos inyectados en sangre por el desvelo y el humo de los cigarrillos, y veía la comida sobre la mesa y una sonrisa gozosa le partía la cara: Clarita, mi vida, eres más señora que yo; qué ricos se ven estos huevitos, cómo no fuiste mija en lugar de ese pinche chamaco cabrón desgraciado, y después de comer, después de que Chabela se fumaba un último cigarrillo antes de irse a recostar a su cuarto, con el ventilador a toda potencia soplando a los pies de su cama, Norma llenaba un plato de comida y cruzaba el patio y despertaba a Luismi y lo obligaba a comer. El pobre estaba tan flaco que Norma casi podía rodear el contorno de su bíceps con una mano; tan flaco que podía contarle las costillas, y sin que tuviera que aguantar el aire. Tan flaco y tan feo, la verdad sea dicha, con esas mejillas cubiertas de granos y los dientes chuecos y su nariz de negrito y los pelos duros y crespos que aparentemente todos en La Matosa tenían. Tal vez por eso a Norma le daba tanta ternura verlo contento: cuando sonreía por alguna tontería que ella decía, y los ojos se le encendían de alegría por un segundo, y toda esa tristeza que él siempre llevaba a cuestas desaparecía y por un breve instante volvía a ser el mismo muchacho que se le acercó en el parque de Villa, cuando ella lloraba sobre una banca porque tenía mucha hambre y mucha sed y ya no le quedaba nada de dinero, y el chofer del autobús que la condujo desde Ciudad del Valle la había despertado de pronto para bajarla ahí, en una gasolinera en el medio de la nada, en medio de kilómetros y kilómetros de cañaverales, y además tenía la cara y los brazos ardidos por el sol, y los pies hinchados y calientes por haber caminado desde la gasolinera hasta el centro del pueblo a través de las brechas entre las parcelas, y cuando Luismi se le acercó para preguntarle por qué lloraba, Norma ya estaba casi decidida a cruzar la calle y entrar al pequeño hotel que había frente al parque —Hotel Marbella, decía en una de sus paredes, un rótulo pintado con esmalte rojo, casi sangrante—, donde le suplicaría al empleado tras el mostrador que por favor le permitiera hacer una sola llamada, y entonces se comunicaría con su madre allá en Ciudad del Valle y le diría dónde estaba y por qué había huido; le contaría todo y su madre seguramente le gritaría y le colgaría el teléfono y Norma no tendría más opción que volver caminando a la carretera y pedir un aventón hasta el Puerto, para llevar a cabo su plan original. Claro que, a lo mejor, con un poco de suerte, tal vez ni siquiera sería necesario viajar hasta el Puerto. Tal vez en realidad la costa no se encontraba tan lejos, y tal vez por ahí cerca habría algún farallón desde el cual podría tirarse al mar. Para colmo los tipos aquellos de la camioneta, los que la habían acosado camino al pueblo, aparecieron del otro lado del parque, y Norma ya estaba a punto de levantarse de la banca para dirigirse corriendo al hotel cuando el chico de los cabellos leonados, aquel muchacho flaco que pasó toda la tarde echándole miradas a Norma mientras sus amigos se carcajeaban y fumaban mariguana, sentados en las bancas más alejadas del parque, atravesó la plaza y se acercó sonriendo a Norma y tomó asiento junto a ella y le preguntó qué era lo que ocurría, por qué estaba llorando. Y Norma miró los ojos del chico y vio que eran negros, bien negros, pero dulces, coronados de pestañas larguísimas que le daban un aspecto soñador a pesar de la fealdad del resto de su rostro, de sus mejillas roñosas y su nariz tosca y sus labios gruesos, y Norma no tuvo corazón para mentirle, aunque tampoco se atrevía a contarle la verdad, así que se decidió por algo intermedio: le dijo que estaba llorando porque tenía mucha sed y mucha hambre y porque estaba perdida y no tenía un solo peso en la bolsa y porque no podía regresar a su casa por culpa de algo muy malo que había hecho. No le dijo que, hasta aquella tarde, hasta el momento en que el conductor del autobús la dejó tirada al borde de la carretera cuando se le agotó el dinero para el pasaje, su plan era dirigirse al Puerto porque recordaba haberlo visitado alguna vez durante un viaje que hizo con su madre, cuando Norma era tan pequeña que aún no nacía ninguno de sus hermanos, o sea que ella debió haber tenido unos tres o cuatro años de edad, o, haciendo cuentas, tal vez en ese viaje su madre ya estaba preñada de Manolo pero Norma no tenía ni idea de lo que se avecinaba. Aquella visita al Puerto era la última vez que Norma recordaba haber estado sola con su madre, solas ellas dos, contemplando el mar del Golfo desde su tienda de campaña, bañándose a diario en el mar tibio, probando por primera vez la mojarra frita y las empanadas de jaiba, que a Norma le parecieron exquisitas. No le dijo tampoco lo que pensaba hacer tan pronto llegara al Puerto: recorrer esas mismas playas que había visitado con su madre hasta alcanzar el farallón inmenso que se levantaba al sur de la ciudad, y después trepar hasta la cima de aquella mole para arrojarse de cabeza a las aguas oscuras y picadas que había allí abajo, y terminar de una vez con todo, con su vida y con la de la cosa que crecía dentro de ella. No le contó nada de eso; se limitó a decirle que tenía mucha hambre y mucha sed y que estaba casi muerta de cansancio y de miedo, porque no conocía a nadie en aquel pueblo y porque además unos tipos la habían seguido en una camioneta mientras caminaba hacia el centro de Villa, y ella había tenido que apartarse de la carretera para esconderse en unos carrizales porque los tipos que iban sobre la batea la llamaban chasqueando los labios como si fuera una perra, y el hombre que conducía, un sujeto rubio de gafas oscuras y sombrero vaquero, bajó el sonido de la música que tronaba, *me haré pasar por un hombre normal*, y le ordenó a Norma que se subiera a la camioneta, *que pueda estar sin ti, que no se sienta mal,* pero ella tuvo mucho miedo y corrió a internarse en una parcela y se acurrucó entre las matas hasta que los tipos se aburrieron de buscarla y pegaron el arrancón y se largaron; los mismos tipos que ahora, en aquel preciso momento, gimió Norma, se encontraban estacionados del otro lado del parque, afuera de aquella cantina que está junto a la iglesia, y Norma señaló la camioneta con su dedo, y Luismi, con una sonrisa nerviosa, una mueca que descubrió sus dientes chuecos, cogió su mano y la envolvió entre sus puños y le susurró que no los señalara, que nunca señalara a esos hombres; que había sido muy sensata al haber huido de ellos, porque todo el mundo sabía que el rubio del sombrero era narco; que se llamaba Cuco Barrabás y que seguido se robaba a las muchachas nomás para hacerles daño, y después, con la mirada clavada en el suelo y la voz un poco temblorosa, como si le diera vergüenza, Luismi le dijo a Norma que no tenía dinero para ayudarla, pero que si ella podía esperarlo un rato, tal vez él sería capaz de conseguir algo, y entonces podrían comer unas tortas ahí enfrente del parque; y, si Norma quería, podía también quedarse a pasar la noche con él, en su casa, nada más que él no vivía ahí en Villa, sino en un pueblo que se llamaba La Matosa, a trece kilómetros y medio de ese sitio; si ella quería, claro, porque era lo único que él podía ofrecerle para ayudarla, para que dejara de arruinarse sus ojitos tan lindos con todas esas lágrimas, pero, bueno, si ella no quería pues no había bronca... Solo tenía que prometerle que por nada del mundo se subiría a la camioneta del tal Cuco, porque todos en el pueblo sabían que ese güero era un hijo de la chingada que les hacía cosas malas a las morras, cosas horribles de las que él no quería hablar en ese momento, pero lo importante era que Norma entendiera que jamás de los jamases debía subirse a esa camioneta, ni tampoco ir a pedir ayuda a la policía, porque esos cabrones tenían el mismo patrón, y a final de cuentas eran más o menos lo mismo. Y Norma, con los ojos húmedos de agradecimiento y la garganta abrasada por la sed, le prometió que así lo haría, que lo esperaría, y entonces Luismi se marchó a conseguir el dinero y ella se quedó ahí sentada, con las manos unidas sobre el regazo y los ojos entrecerrados y los labios apretados, como si rezara, aunque en realidad lo que hacía era tratar de ignorar a la vocecita que, muy dentro de ella, vociferaba que era una pendeja por confiar en un hombre que ni siquiera conocía, un hombre que seguramente nomás quería aprovecharse de ella, engañarla con promesas falsas y frases bonitas, porque así eran todos, ¿no? Unos cabrones culeros que nomás hablaban pero que nunca cumplían. Pero Luismi sí había cumplido; Luismi había probado que la voz se equivocaba; se había tardado un par de horas pero había vuelto, cuando el parque ya estaba a oscuras y ya no quedaba nadie ahí más que los mariguanos, y le mostró el dinero que había conseguido y la llevó a comer a la tortería que estaba frente al parque, y después la condujo de la mano por las calles retorcidas de aquel pueblo, calles polvorientas y silenciosas, patrulladas por escuadrones de perros mestizos que los miraban con desconfianza. Atravesaron luego una inmensa huerta de árboles de mango cargados de frutos aún verdes, y más adelante, un puente colgante extendido sobre un río que para entonces, en la oscuridad reinante, era ya completamente invisible, y llegaron a una vereda de tierra suelta que se internaba en medio de los pastizales susurrantes. Para entonces la noche se volvió tan densa que Norma no podía ver ni dónde ponía los pies; el camino subía y descendía y se achicaba y agrandaba sin que ella comprendiera cómo era que Luismi podía ver algo en aquella negrura; a ella le parecía que, en cualquier momento, la vereda desaparecería y que los dos caerían dando tumbos hasta el fondo de un barranco, por eso apretaba la mano de Luismi en la suya, y cada pocos metros le pedía que no caminara tan rápido, y cuando tuvieron que atravesar una cañada cundida de insectos que chirriaban amenazadoramente, Luismi le pasó un brazo por los hombros y comenzó a cantar quedito. Tenía una voz bonita; una voz que ya era de hombre, no como su cuerpo, que aún era de muchacho, y en la negrura ominosa que parecía estarlos tragando, su canto fue un consuelo para los nervios de Norma, para sus pies adoloridos y llenos de ampollas y su cabeza confundida, aturdida por esa voz interior que no paraba de ordenarle que se alejara de ese muchacho, que volviera a la carretera, que llegara al Puerto como fuera y subiera al acantilado y saltara al agua para hacerse pedazos y terminar con todo aquello. Y después de un larguísimo rato, el camino rodeado de malezas vivientes finalmente desembocó en una especie de poblado sin calles, ni parques, ni iglesias, apenas un puñado de casas iluminadas por focos tristes. Bajaron por una hondonada que los condujo hasta una pequeña vivienda de ladrillo, también alumbrada por un solo foco desnudo que colgaba sobre el porche. Pero en vez de entrar a la casa o de tocar a la puerta, el muchacho la condujo al final de aquel terreno, donde se levantaba la caseta de madera que él presumió haber construido con sus propias manos, un refugio que a Norma le pareció más que perfecto, de tan cansada que estaba, y sin que Luismi se lo pidiera se acostó enseguida sobre el colchón y, en susurros, comenzó a contarle su historia, o más bien, parte de su historia, las partes que no le avergonzaban tanto, y él, echado a su lado, la escuchó y en ningún momento había tratado de tocarle otra cosa que no fuera la cara o las manos, ni le había ordenado que se echara de espaldas y se abriera de piernas, o que se arrodillara para mamarle la verga, como Pepe siempre le pedía cada vez que se metían juntos a la cama. Mámame la verga, decía; mámame los huevos, mámale duro, chiquita, con ganas, así, hasta adentro, no te hagas la que te da asco si bien que te gusta, aunque no era cierto, aunque a Norma no le gustara en lo absoluto, pero él lo decía de todas maneras y ella nunca lo había sacado del error. Porque la verdad era que al principio sí le había gustado; la verdad era que al principio ella incluso había llegado a pensar que Pepe era guapo, y hasta le dio gusto cuando su madre lo llevó a la casa para que viviera con ellos, para que fuera el padrastro de Norma y de sus hermanos, porque con Pepe las cosas funcionaban mejor, y los hermanos le daban menos guerra, y su madre ya no se encerraba en el excusado a gritar que quería morirse porque no tenía a nadie, ni los dejaba encerrados por las noches para ir a emborracharse. Pero Norma no estaba lista para contarle a Luismi sobre Pepe; ni siquiera quería pensar en él y las cosas que habían estado haciendo, porque si llegaba a contarle lo que realmente había pasado, él se daría cuenta de la persona tan horrible que Norma era, y se arrepentiría de haberla ayudado, y la correría de su casa y la enviaría de regreso a la oscuridad, así que simplemente se había limitado a contarle sobre Ciudad del Valle, y lo fea y fría y triste que era, igual que la vecindad en donde vivía, con su madre y el marido de ella y una bola de hermanos latosos que le hacían la vida imposible, y de cómo su madre estaba todo el tiempo regañándola por culpa de ellos. Incluso se inventó que tenía novio: un muchacho que supuestamente estudiaba en la misma secundaria que ella, pero en tercer año, no en primero; un chico muy guapo y muy rebelde, una suerte de renegado de cabellos largos y pantalones de mezclilla rotos del que su familia quería alejarla a toda costa; todo con tal de no tener que confesarle a Luismi que en realidad el único hombre que hasta entonces había besado era Pepe, su padrastro, el marido de su madre, cuando ella tenía doce y él veintinueve, esa vez que miraban una película en la televisión, acurrucados en el sofá bajo una manta, y él se había burlado de ella porque jamás había besado a nadie, y entonces Norma, de pura broma, de puro loca, le puso las dos manos a los lados de la cara y lo besó de lleno, con un tronido húmedo que rozó los labios y el bigote que Pepe trataba de dejarse crecer con poco éxito en ese entonces, y que él celebró con una carcajada y una sesión de cosquillas a la que llegaron corriendo sus hermanos. A Pepe le gustaba retarla, molestarla; colocaba su mano con la palma hacia arriba en el sitio preciso en donde ella iba a sentarse y le pinchaba la cola y luego fingía que no había sido él, y todo eso era divertido, o había sido divertido al principio porque toda esa atención hacía que Norma se sintiera importante, porque Pepe siempre insistía en sentarse junto a ella cuando veían las caricaturas, y le pasaba el brazo por encima de los hombros y le acariciaba la espalda, los hombros, los cabellos, pero solo cuando la madre de Norma estaba en la fábrica, solo cuando sus hermanos estaban en el patio de la vecindad, jugando con los otros chiquillos, y siempre bajo la manta aquella para que nadie viera lo que las manos de Pepe estaban haciendo mientras veían la pantalla, la forma en que sus dedos se deslizaban por la piel de Norma y delineaban los contornos de su cuerpo, caricias que nadie le había hecho nunca, ni siquiera su madre, ni siquiera en los buenos tiempos, cuando solo eran ellas dos y nadie más, y Norma no tenía que competir por ella, por su atención y su cariño. Cosquillas que en realidad no daban cosquillas, mimos que más bien la dejaban temblorosa, pegajosa por dentro, avergonzada por los suspiros que de pronto se le escapaban, gemidos que debía disimular a toda costa porque tenía miedo de que sus hermanos la oyeran, de que su madre se enterara, de que Pepe —que en aquellos momentos parecía furioso con ella porque la respiración se le volvía pesada y ronca y los ojos se le entornaban— la soltara y le dejara de hacer aquello si llegaba a darse cuenta de lo mucho que le gustaba, y por eso clavaba los ojos en la pantalla del televisor y sonreía en las partes graciosas de las caricaturas y hacía como si en verdad no sintiera nada, como si fuera completamente insensible a las caricias de Pepe, hasta que él se aburría de ella o se cansaba y se paraba del sofá para encerrarse en el excusado, y cuando regresaba ponía la palma de su mano bajo las narices de Norma, y la obligaba a oler el tufillo que le quedaba en las manos después de orinar, y entonces Norma se reía, porque todo era chusco y divertido de nuevo, y Pepe solo había estado bromeando, y Pepe solo trataba de demostrarle el afecto que sentía por ella, un cariño que era mayor al que sentía por los demás hermanos, incluso por Pepito, el bebé que meses atrás tuvo con su madre. Y de noche, cuando se suponía que todos estaban ya dormidos, Norma paraba la oreja para escuchar lo que él y su madre platicaban, sobre todo cuando hablaban de ella, de las inquietudes que la madre sentía de ver lo rápido que Norma se estaba desarrollando, lo raro que se portaba últimamente y lo mucho que le encabronaba a la madre que Pepe le hiciera tanto caso a la chamaca, y él le decía que no fuera tonta, que comprendiera que lo único que él trataba de hacer era darle cariño a esa pobra niña que nunca tuvo la fortuna de contar con un padre, y que era normal que la chamaca se confundiera un poco al sentir el afecto sincero y totalmente inocente de Pepe, e incluso que se encandilara un poquito con él, vaya, está en la edad de la punzada, de las hormonas alborotadas, pobrecita, tal vez hasta se imagina que yo la quiero de otra manera, porque aún está muy chica para saber cómo expresar las inquietudes que empieza a sentir en su corazoncito, y era bueno hablando, el Pepe; a veces ni parecía que no había terminado la preparatoria; a veces parecía que había estudiado leyes o periodismo, que era licenciado o maestro, porque siempre tenía una respuesta para todo y usaba palabras que nadie más conocía, y la madre de Norma nomás lo escuchaba embobada y se quedaba convencida, y al día siguiente empezaba con su letanía, antes de irse al trabajo y dejar a Norma en la casa para que llevara a los hermanos a la escuela y les preparara la comida: Norma, ya no eres una chamaca, pronto serás una señorita y tienes que portarte como corresponde, asumir tus responsabilidades en esta casa y ser un ejemplo para tus hermanos. Pobre de ti donde me entere de que te sigues juntando con la Tere y esas otras chamacas coscolinas de allá abajo; y pobre también donde me vengan a decir que te vieron entrar al billar ese a donde van los chamacos de la secundaria. Has de creer que me chupo el dedo, que no sé qué es lo que pasa ahí adentro; si ya me dijeron que eso está lleno de malvivientes nomás esperando a meterle mano a las chamacas babosas que se dejan, aprovecharse de ellas y dejarlas con su domingo siete. Y Norma meneaba la cabeza y decía: no, mamá, yo no voy a esos lugares, vete en paz y no te preocupes, yo siempre me vengo derechito para la casa, aunque luego, cuando estaba a solas, se ponía a pensar en las palabras de su madre y no entendía qué era aquello del domingo siete, ni qué tenía que ver con sus vecinas, o con el billar de la esquina, o con eso de las manos que le metían a una, y se preocupaba porque, para aquel entonces, el Pepe estaba obsesionado con que a fuerzas tenía que meterle un dedo a Norma hasta adentro, con que a fuerzas su dedo de en medio tenía que entrarle todito a Norma, aunque le ardiera, aunque acabara con punzadas en el bajo vientre. Y le preocupó aún más, al punto del insomnio, cuando una tarde entró con calambres al baño de la escuela y al sentarse en la taza se descubrió los calzones manchados de sangre, una sangre oscura y podrida que justo le brotaba del agujero que Pepe le anduvo hurgando en esos días. Finalmente había ocurrido, pensó con horror en aquel momento; finalmente sucedió aquello de lo que su madre tanto le había hablado y advertido: el fatídico domingo siete que destruiría su vida y la de toda su familia, su castigo por haber permitido que Pepe le metiera los dedos entre las piernas, y seguramente también por haber proseguido ella sola aquellos toqueteos, por las noches, cuando nadie podía verla ni oírla, cuando los hermanos dormían a pierna suelta a su lado en la cama, y Pepe y su madre estaban demasiado ocupados haciendo rechinar los resortes de la cama como para voltear a ver lo que hacía: tocarse aquel agujero pensando en Pepe, en los dedos de Pepe y en su lengua. Por eso fue que decidió no decirle nada a nadie de aquella sangre: tenía miedo de que entonces su madre se diera cuenta de lo que estaba pasando, de lo que Norma había hecho, de lo que Pepe le seguía haciendo cuando ella estaba en el trabajo. Tenía miedo de que la corrieran de la casa, porque su madre siempre le estaba contando lo que le pasaba a las chamacas zonzas que salían con su domingo siete; de cómo las ponían de patitas en la calle y cómo tenían que rascárselas ellas solas, como mejor pudieran, completamente desamparadas, y todo por haber dejado que los hombres se aprovecharan de ellas, por no haberse dado a respetar porque todo el mundo sabe que el hombre llega hasta donde la mujer se lo permite. Y la verdad es que para ese entonces Norma ya le había permitido mucho a su padrastro, demasiado, y lo peor de todo es que encima tenía ganas de permitirle aún más, permitirle que le hiciera lo que él tanto quería, eso que siempre le estaba murmurando en la oreja, las cosas que los chamacos de la escuela escribían y dibujaban en las paredes de los baños, cosas que los viejos en la calle le susurraban al paso y que ella quería que le hicieran, Pepe o los chamacos o los viejos o quien fuera, la verdad: todo con tal de no pensar y de no sentir ese doloroso vacío que de unos meses a la fecha la hacía llorar en silencio contra la almohada, de madrugada, antes de que el despertador de su madre sonara, antes incluso de que los primeros camiones llenaran de esmog el gélido aire plomizo de las mañanas en Ciudad del Valle; un llanto quedito que le salía de muy de adentro y que ella no entendía pero que ocultaba de los demás porque le avergonzaba: a su edad, llorando por nada, como si todavía fuera una niña. Porque eso era lo que su madre siempre le repetía: que ya no era una niña, que pronto sería toda una señorita y que debía darse a respetar y ser un ejemplo para sus hermanos; que dejara ya de flojear en la escuela, para que valiera la pena el dineral que debían pagarle a doña Lucita la del siete para que cuidara a Pepito por las tarde, que valorara el gran esfuerzo que ella y Pepe hacían para que Normita pudiera sacar adelante sus estudios y ser alguien en la vida, y sobre todo, que se mirara en su espejo, lo que para ella quería decir que Norma debía tener siempre en cuenta los errores que su madre había cometido y no tratar de repetirlos, aunque tuvo que pasar algún tiempo antes de que Norma finalmente comprendiera a qué se refería su madre cuando hablaba de sus yerros: a ella y a sus hermanos, claro; pero sobre todo a ella, a la primera, la primera de cinco críos, seis contando al pobrecito de Patricio que en paz descanse; seis errores que su madre cometió, uno tras otro, en sendos intentos desesperados por retener a un hombre que en casi todos los casos ni siquiera se había dignado en reconocer la paternidad de las criaturas; hombres que para Norma eran simples sombras en las que su madre se envolvía cuando salía de noche a emborracharse, con las piernas descubiertas bajo medias transparentes y zapatos de tacón que jamás permitía que Norma se probara. No seas pendeja, le dijo, la única vez que la sorprendió chacoloteando sus zapatos y jugando con Natalia a ponerse sus cosméticos frente al trozo de espejo que tenían colgado sobre la pared. ¿Para qué quieres que los hombres te anden viendo? ¿Para que luego te quieran meter la mano? Todo te entra por un oído y te sale por el otro, ¿verdad? Tú no aprendes de mis errores, Norma. Lávate la cara y quítate eso y pobre de ti donde te llegue a ver así en la calle, pobre de ti donde las vecinas me digan que te vieron con mi ropa y mi bilé puestos. Y Norma asentía y le pedía perdón a su madre y a escondidas lavaba sus calzones manchados de sangre para que su madre no la corriera de la casa, para que no viera que su peor pesadilla se había vuelto realidad, hasta que finalmente un día se dio cuenta de que todo ese tiempo había estado equivocada; que el domingo siete no era la sangre que le manchaba la ropa sino lo que pasaba en el cuerpo cuando esa misma sangre dejaba de brotar. Y es que un día que regresaba de la escuela, Norma se encontró tirado en la calle un librito de papel rústico con la portada de cartón rota, que se llamaba Cuentos de Hadas para Niños de Todas las Edades, y al abrirlo al azar lo primero que sus ojos vieron fue una ilustración en blanco y negro en donde un hombrecillo jorobado lloraba aterrado mientras un grupo de brujas con alas de murciélago enterraban cuchillos en el bulto de su espalda, y la ilustración era tan rara que, sin importarle la hora ni la lluvia inminente, sin importarle tampoco que tenía que llegar a casa a lavar los trastes y encargarse de sus hermanos antes de que su madre llegara de la fábrica, Norma se puso a leer el cuento completo en la parada del camión, porque en casa no había nunca tiempo para leer nada, y además ni se podía, con el barullo que montaban sus hermanos, y el ruido de la televisión encendida, y los gritos de su madre, y las chanzas bufas de Pepe, y la pila de tarea que tenía que hacer después de fregar las ollas de la comida que ella misma había cocinado al mediodía, antes de irse a la escuela; así que se cubrió la cabeza con la capucha de la chamarra y encogió las piernas bajo la campana de su falda, y se dispuso a leer completito el cuento aquel de los dos compadres jorobados, porque así se llamaba la historia, y que trataba de un jorobado que una tarde se perdía en el bosque cercano a su casa, un bosque oscuro y tenebroso en donde decían que las brujas se reunían para hacer sus maldades, y era por ello que el hombrecillo tenía tanto miedo de estar ahí perdido, sin poder hallar el camino de regreso a su casa, vagando en la penumbra hasta que se hizo de noche y entonces vio una hoguera a lo lejos, y pensando que se trataba de algún campamento, corrió hasta allá, seguro ya de haberse salvado, y cuál fue su sorpresa cuando llegó al claro donde resplandecía la gigantesca fogata y se dio cuenta de que aquello era un aquelarre: una reunión de brujas, de viejas horrorosas con garras en vez de manos y alas de murciélago que danzaban macabramente en torno al enorme fuego mientras cantaban: *lunes y martes y miércoles, tres*; *lunes y martes y miércoles, tres*; *lunes y martes y miércoles, tres*, y reían estrepitosamente con sus horribles carcajadas de arpías y lanzaban aullidos a la luna llena, y el jorobado, que había logrado esconderse detrás de una enorme piedra cerca de la fogata, sin que las brujas lo vieran, escuchaba aquel cántico repetitivo y, sin saber cómo, sin poderse explicar el impulso irresistible que de pronto lo dominó, cuando las brujas cantaron de nuevo *lunes y martes y miércoles, tres*, el jorobadillo tomó aire, se alzó por encima de la roca que lo ocultaba y, con todas la fuerza de sus pulmones, gritó: *jueves y viernes y sábado, seis*. Su grito resonó en aquel claro con violencia inusitada, y las brujas, al oírlo, se quedaron pasmadas, petrificadas en torno al fuego que proyectaba horribles sombras sobre sus jetas bestiales, y segundos después ya estaban todas corriendo y revoloteando por entre los árboles del bosque, chillando y gritando que había que encontrar al humano que había dicho aquello, y el pobre jorobado, encogido detrás de la piedra, se puso a temblar pensando en la suerte que le esperaba, pero cuando las brujas por fin lo hallaron no le hicieron daño alguno como él había creído, ni lo convirtieron en sapo o en gusano, ni mucho menos se lo comieron, sino que entre todas lo agarraron y con embrujos hicieron aparecer enormes cuchillos mágicos con los que le cortaron la joroba, sin derramar una sola gota de sangre ni ocasionarle el menor sufrimiento, porque las brujas en realidad estaban contentas de que el hombrecillo hubiera mejorado su canción, que a decir verdad ya comenzaba a resultarles algo monótona, y cuando el jorobado vio que ya no tenía joroba, que su espalda estaba completamente lisa y que ya no tenía que caminar encorvado se puso feliz, tremendamente feliz y contento, y encima de curarlo de la joroba las brujas también le regalaron una olla llena de piezas de oro, y le dieron gracias por haber arreglado tan bien su canción, y antes de reanudar su aquelarre le indicaron la manera de salir de aquella parte encantada del bosque, y el hombrecillo entonces corrió hasta su casa, derechito a contarle todo a su vecino, que también era jorobado, y a mostrarle su espalda sana y las riquezas que había obtenido de las brujas, y su vecino, que era un hombre ruin y envidioso, se quedó pensando que él merecía aquellos premios más que el otro, porque era más inteligente y más importante, y esas brujas debían ser unas verdaderas idiotas para andar regalando el oro así como así, y para cuando llegó el siguiente viernes el jorobado envidioso ya estaba convencido de que él debía intentar lo mismo que el otro, y al caer la noche se lanzó al bosque en busca del aquelarre de las brujas cretinas aquellas, y estuvo muchas horas caminando en la oscuridad hasta que él también terminó por perderse, y cuando estaba a punto de sentarse bajo un árbol a llorar de miedo y desesperación, logró distinguir a lo lejos, en la parte más espesa y tenebrosa del bosque, la fogata en torno a la cual las brujas bailoteaban y cantaban: *lunes y martes y miércoles, tres; jueves y viernes y sábado, seis; lunes y martes y miércoles, tres; jueves y viernes y sábado, seis*, y entonces el vecino envidioso corrió hasta ellas y se ocultó detrás de la enorme piedra, y en el momento en que las brujas cantaban *lunes y martes y miércoles, tres; jueves y viernes y sábado, seis*, el infeliz hombrecillo, que a pesar de creerse más inteligente que su vecino era en realidad un sujeto muy poco ingenioso, abrió bien grande la boca, jaló la mayor cantidad de aire que pudo, e incluso colocó sus manos a los costados de su cara, para que su voz saliera más potente, y gritó: *¡DOMINGO SIETE!*, con toda la fuerza de la que fue capaz, y cuando las brujas lo oyeron se quedaron petrificadas en medio de su baile, congeladas en el sitio por la sorpresa, y el jorobado zoquete salió de su escondite y abrió los brazos para mostrarse ante ellas, pensando que pronto acudirían a su lado para quitarle la joroba y entregarle una olla de oro aún más grande que la que le habían dado a su vecino, pero de pronto se dio cuenta de que las brujas estaban furiosas, que con sus propias uñas se desgarraban el pecho y se arrancaban jirones de carne, y se hacían cortes en las mejillas y tiraban de los hirsutos cabellos que coronaban sus espantosas cabezas mientras rugían como bestias enloquecidas, gritando quién es el desgraciado que dijo domingo, quién es el infeliz que arruinó nuestra canción, y de pronto se percataron de la presencia del hombrecillo ruin y volaron hacia él y con encantos y ensalmos hicieron aparecer la joroba que le habían quitado al primer hombre, y como castigo por su imprudencia y su codicia se la pusieron en la barriga, y en lugar de una olla de oro sacaron una olla de verrugas que saltaron del recipiente e inmediatamente se pegaron al cuerpo de aquel desdichado, a quien no le quedó más remedio que regresar así a su pueblo, con dos jorobas en vez de una y verrugas en la cara y en el cuerpo, y todo por haber salido con su domingo siete, explicaba el libro, y en la última ilustración del cuento aparecía el vecino envidioso con aquellas dos jorobas, una deformándole los hombros y la otra haciéndolo lucir preñado, y fue entonces cuando Norma al fin comprendió que había sido una tonta al pensar que el fatídico domingo siete era la sangre que cada mes le manchaba los fondillos de los calzones, porque era obvio que se refería más bien a lo que sucedía cuando la sangre aquella dejaba de manar; lo que le pasaba a su madre después de una racha de salir por las noches enfundada en sus medias color carne y sus zapatillas de tacón, cuando de un día para otro el vientre comenzaba a inflársele hasta adquirir dimensiones grotescas para finalmente expulsar un nuevo crío, un nuevo hermano, un nuevo error que generaba una nueva serie de problemas para su madre, pero sobre todo, para Norma: desvelos, cansancio agobiante, pañales hediondos, cerros de ropa vomitada, llanto interminable, inacabable, infinito; una boca más que se abría para exigir comida y lanzar aullidos; un cuerpo más que vigilar y cuidar y disciplinar hasta que la madre volviera del trabajo, hecha polvo y tan hambrienta y enfadada y sucia como el más pequeño de sus hermanos, una cría más a la que Norma debía alimentar y acariciar y consolar mientras frotaba y masajeaba con aceite para bebé los callos duros y los músculos tiesos por todas esas horas que la madre pasaba de pie ejecutando una y otra vez los mismos movimientos frente a las máquinas de coser. Sobre todo escucharla, sobre todo eso: escuchar las cuitas de la madre, las quejas, los reclamos, las mismas admoniciones de siempre, y asentir y darle la razón y mirarla a los ojos con una sonrisa en la boca y darle besos en la frente y palmaditas en la espalda cuando la madre lloraba, porque si Norma lograba que su madre se desahogara, si Norma conseguía que la madre descargara las angustias que oprimían su corazón, tal vez más tarde ya no sentiría tantas ganas de encerrarse en el excusado a gritar que quería morirse, ni saldría a emborracharse para buscar el afecto y las caricias de los hombres, a dejarse lastimar por esos cabrones que son todos iguales, unos cabrones que te bajan la luna y las estrellas pero que a la mera hora te dejan ahí tirada como una jerga vieja y apestosa, pero tú no seas pendeja Norma, tú no debes de creerles: no esperes cariño de ellos, no esperes nada, son culeros; tú tienes que ser más abusada que ellos, tú tienes que darte a respetar porque ellos nomás van a llegar hasta donde tú los dejes, y ahí es donde debes ser más inteligente que ellos, reservarte hasta que llegue el bueno, un hombre honesto y trabajador que te cumpla, un hombre bueno como el Pepe, que nunca te deje tirada con tu domingo siete, y Norma asentía y decía que sí, que así lo haría, que ella jamás les creería nada a los hombres, que jamás sucumbiría ante su vileza, ante las asquerosidades que esos cabrones les hacen a las mujeres para perderlas, y de madrugada, cuando lloraba en silencio en la cama pensaba que verdaderamente tenía que existir algo muy malo dentro de ella, algo podrido e inmundo que la hacía gozar tantísimo con las cosas que ella y Pepe hacían juntos, los días que él trabajaba el tercer turno de la fábrica y llegaba a casa por la mañana, justo después de que la madre de Norma ya se hubiera marchado, y entraba en la cocina y apartaba a Norma del quehacer que estuviera haciendo y la llevaba al pie de la cama grande, la que él y la madre compartían ahora, y la desnudaba a pesar de que ella aún no se había bañado, y la tendía, temblando de anticipación y de frío, sobre las sábanas heladas y la cubría con su propio cuerpo desnudo y la apretaba muy fuerte contra su pecho musculoso y la besaba en la boca con un hambre salvaje que Norma encontraba a la vez deliciosa y repugnante, pero el secreto era no pensar; no pensar en nada mientras él le apretaba los pechos y se los chupaba; no pensar nada cuando Pepe se montaba encima de ella y con su verga untada de saliva iba haciendo más grande y más ancho aquel hueco que él mismo le había abierto con los dedos, mientras miraban la tele, debajo de las cobijas. Porque antes de Pepe no existía nada ahí, nada más que pliegues de piel por donde le salía el chorro de la orina cuando se sentaba en la taza del excusado, y ese otro agujero por donde le salía la caca, por supuesto, pero quién sabe cómo y con qué mañas el Pepe se las arregló para hacerle un hoyo más, un agujero que, con el tiempo y los dedos callosos de Pepe y la punta de su lengua, fue creciendo hasta ser capaz de albergar completa la verga de su padrastro, hasta el fondo, decía él, hasta que tope, como debe ser, como Norma se lo merecía, como ella misma lo había estado pidiendo en silencio todos esos años, ¿no? Porque ahí estaba ese beso que ella le había dado, como prueba de que ella fue la que lo empezó todo; ella, la que lo sedujo a él, rogándole con los ojos; ella, la que en la cama se meneaba bien sabroso y se ensartaba solita en su verga tiesa, como desesperada, como poseída, ansiosa por recibir su leche. Por eso era que casi nunca duraba nada dentro de ella: tan rica que estaba, tan apretada todavía, tan tierna entre sus brazos. Si desde chica se le notaba lo fogosa, vaya; desde chiquilla se veía que iba a ser una máquina para la cogedera, por la manera en que movía las nalgas cuando caminaba, y por la forma en que lo veía, y por cómo siempre quería estar pegada a él, siempre encimada, siempre espiándolo cuando él se ponía a hacer sus ejercicios o cuando se desvestía para meterse a la ducha, con esa sonrisita maliciosa que no era la de una niña sino la de una mujer cachonda, una mujer que sería suya, tarde o temprano sería suya, aunque primero tuviera que prepararla, ¿verdad? Educarla, enseñarla, irla acostumbrando de poco a poco para no lastimarla; si él no era ninguna bestia, al contrario; él solo le daba lo que ella pedía: una caricia bonita, una sobadita, un masajito en esos pechos que ya se le empiezan a hinchar por el contacto diario con sus dedos, los pezones bien gorditos ya después de unos buenos chupetones, y el triangulito entre las piernas bien mojadito de tanto frotar la campanita esa, el ostioncito que a él le gusta sorberle con la boca, de tal forma que, a la mera hora, la verga entra solita y no lastima, al contrario: es la propia Norma la que la pide, su propio cuerpo la que la reclama. Porque si tú no la pidieras, Norma, mi verga no te entraría toda, ¿ves? Si no te gustara lo que te hago no te mojarías tan rico. Y mientras su padrastro le decía todo esto al oído, Norma se mordía los labios y concentraba todas sus fuerzas en mantener el ritmo furioso con el que movía sus caderas, porque entre más se meneara, más rápido se vendría Pepe y entonces ella podría acurrucarse en el hueco de su axila mientras él la abrazaba y la mecía y le besaba por encima del nacimiento del cabello en lo que la verga se le paraba de nuevo. Ese era el momento que Norma siempre esperaba: cuando podía cerrar los ojos y pegar su cuerpo desnudo al de Pepe y olvidar por un instante que nunca duraba lo suficiente, que había algo maligno y terrible en ella por buscar ese contacto, ese abrazo crudo, y desear que pudiera durar para siempre, aunque eso significara traicionar a su madre, traicionarla a pesar de todo lo que ella hacía por Norma y por sus hermanos. Porque al final siempre terminaba sintiendo un gran asco de sí misma, un odio recalcitrante por estar arruinando la última oportunidad que su madre tenía de ser feliz con un hombre a su lado, con un padre para sus hijos, alguien con quién hacer rechinar los resortes de la cama los sábados por las noches, y entre tanto asco y tanto placer y tanta vergüenza y tanto dolor Norma no supo cómo fue que pasó, cómo fue que se embarazó, porque ella pensaba que Pepe se encargaba de todo, que Pepe sabía cómo arreglárselas, con eso de que le llevaba la cuenta de la regla, y todo el tiempo estaba al pendiente de sus sangrados, y supuestamente sabía cuándo podía metérsela y cuándo no, y durante un tiempo incluso le había estado dando unas pastillas diminutas que hacían que Pepe pudiera venirse dentro de ella cuando quería, pero después tuvo miedo de que la madre de Norma se las encontrara y había dejado de dárselas.

Norma no supo cuándo fue que pasó, de pronto solo le pareció que la vida se había vuelto aún más gris y fría que de costumbre; que cada vez le resultaba más difícil levantarse a las cinco de la mañana a prepararle el café a su madre y envolverle el almuerzo que se llevaba a la fábrica; que en la escuela se la pasaba bostezando de sueño y que el frío era una tortura y que todo el tiempo tenía hambre a pesar de que la comida le sabía espantosa y lo único que le apetecía era el pan, dulce o salado, fresco y recién horneado o duro y hasta mohoso; quería comer pan a todas horas y el resto de la comida, el olor del tomate cocido, por ejemplo, le producía arcadas; lo mismo que el hedor a mugre de la gente que viajaba pegada a ella en la combi, y el tufo agrio de sus hermanos, sobre todo el de Gustavo, que a su edad aún no aprendía bien a limpiarse la cola y que siempre insistía en dormir pegado a ella, y aquella peste a mierda sudada lo seguía a todos lados y se le pegaba a Norma en las narices y no la dejaba dormir y le daban ganas de sacar al niño a patadas de la cama, de golpearlo y jalarlo de los cabellos hasta que aprendiera a limpiarse bien, pinche marrano; un día te voy a dejar en la calle, pa' que te pierdas, pa' que te roben; voy a sacarlos a todos de las greñas para que se los lleven los robachicos, a ver si así dejan de estar chingando, a ver si así las cosas vuelven a ser como antes, como cuando Norma y su madre vivían solas, antes de irse a Ciudad del Valle, a esos cuartos sombríos que la madre rentaba por día y en donde no podían prepararse comida, y vivían a base de pan de caja y de bananas y leche condensada, y aún así la madre se las arreglaba para seguir engordando y engordando, hasta que ya ni siquiera podía agacharse para atarse las correas de los huaraches, hasta que una madrugada Norma se despertó por culpa del frío, y vio que estaba sola en la cama porque su madre se había marchado sin decirle a dónde, dejándola encerrada con llave, y por mucho que

Norma lloró y lloró durante horas, durante lo que a ella le parecieron días enteros, su madre no volvió sino hasta dos noches después, toda pálida y ojerosa y con un bulto en los brazos: su hermano Manolo, un duende arrugado y chillón que vivía prendido a los senos de su madre, y que berreaba sin parar cada vez que Norma se quedaba a cuidarlo mientras la madre buscaba trabajo. Y después de Manolo llegó Natalia, y después de Natalia, Gustavo, y luego Patricio, el pobre de Patricio, y los cuartos rentados se hacían cada vez más gélidos y más húmedos, y Norma no veía nunca a su madre, porque al fin había encontrado un trabajo en una fábrica de chamarras, y a veces hacía dos turnos al hilo para que el dinero les alcanzara, y Norma extrañaba a su madre pero pronto aprendió que si lloraba cuando ella llegaba del trabajo, que si se quejaba de sus hermanos y de las maldades que habían hecho, su madre se entristecía tanto que luego luego le daba por ponerse las zapatillas y salir a buscar alguien que le invitara un trago, así que Norma se callaba. No podía fallarle a su madre, tenía que ayudarla; sola, sin Norma, y rodeada de esos enanos gritones, su madre se volvería loca; eso era lo que ella siempre decía, que no podía vivir sin Norma, sin su presencia ni su ayuda. Por eso le daba tanto coraje que fuera tan tonta, que las cosas le entraran por un oído y que le salieran por el otro sin poner atención a sus advertencias; que cada vez llegara más tarde de la escuela, carajo: tu lugar es aquí en la casa, Norma. ¿Dónde chingados estabas a estas horas? ¿Por qué te tardaste tanto? ¿Cómo que te quedaste leyendo en la calle? ¿Tú crees que soy tarada, que me chupo el dedo, que no sé que de seguro andabas de coscolina con algún chamaco? ¿No te da vergüenza dejar a tus hermanos solos? ¿No te remuerde la conciencia seguir reprobando las materias? Mira nomás esas ojeras, esa tripota, pareces ballena, seguro estás llena de lombrices, cochina; te comiste el pan de los niños, y ahora qué vamos a darles en la merienda, no tienes madre, de verdad. Cabrona, esta. Y Pepe: ya, mujer, bájale a tu pedo, ¿cuál es el problema? Esta pinche cabrona es el problema, ¿qué vamos a hacer cuando salga con su domingo siete por andar de golfa? ¿Qué vamos a hacer? Pues nada, mujer; para qué te amargas si así son las cosas de la vida; para eso somos familia, ¿no? Para apoyarnos, para jalar parejo todos juntos, ¿no? Y todavía se atrevió a guiñarle el ojo a Norma cuando la madre no veía. Si la Norma tiene un chamaco, pues le ponemos mi apellido, y entre todos lo cuidamos, ¿no? Y la madre: Donde me entere que andas de golfa con esos chamacos pendejos de la secundaria, te corro de la casa, ¿me escuchas? Que Pepe y yo no nos partimos el lomo para que tú nomás andes en tu desmadre. Y Norma se mordía los labios, se mordía la lengua para no responderle a su madre, pues hubiera preferido arrancársela de cuajo antes que contarle la verdad, antes que confesarle lo que ella y Pepe hacían ahí mero en su propia cama, porque Norma estaba convencida de que eso destruiría a su madre, aunque tal vez lo que realmente la aterraba era la posibilidad de que no le creyera. ¿Qué tal que Norma le contaba la verdad y Pepe la convencía de que todo era mentira? ¿O qué tal que sí le creía pero que de todos modos prefería quedarse con él y correrla a ella, mandarla sin miramientos a la chingada? Tal vez lo mejor sería largarse de una vez, largarse antes de que se le notara más, huir de casa, de Ciudad del Valle, de aquel frío que incluso en mayo le calaba hasta los huesos en las madrugadas; regresar al Puerto, a los tiempos en que su madre y ella tomaron aquellas vacaciones, y escalar de nuevo el acantilado y tirarse al mar con todo y la cosa esa que le crecía en las entrañas. Su madre nunca la encontraría; pensaría que Norma había huido con algún muchacho y se pondría tan furiosa que tal vez ni siquiera se molestaría en buscarla, ni lloraría por ella en las noches pensando lo buena que era, en lo mucho que los ayudaba, en lo vacía que estaba la casa sin su presencia; mejor huir antes de que su madre dejara de necesitarla; mejor morir que perderla. Por eso fue que le dijo que sí a Chabela, cuando llevaba ya tres semanas en La Matosa y Luismi había comenzado a echarle miradas tiernas a su panza, aunque ella aún no se atrevía a contarle nada. Así eran las cosas con Luismi: apenas hablaban. Él se despertaba pasado el medio día, cuando el calor en aquel cuartito se tornaba infernal, y se iba al río a bañarse después de haber comido lo que fuera que Norma le ofreciera, sin quejarse jamás pero tampoco sin alabarla, porque bien que sabía que aquella comida la pagaba Chabela. Luismi nunca le daba dinero a Norma, no le daba para el gasto como su madre solía hacerlo todos los días antes de irse a la fábrica; no le daba nada, pues, más que aquel techo y, a veces, solo si ella se lo pedía, le ofrecía su verga mustia en las madrugadas y Norma, más por pagarle la gentileza que por apetencia, se le subía encima y se inclinaba a besar su boca entreabierta, esa boca que casi siempre olía a cerveza rancia y a saliva ajena; esa boca que nunca la rechazaba pero que tampoco la buscaba más que para besarle el vientre con dulzura. Quién sabe qué pensaría Luismi de la cosa que crecía ahí dentro; quién sabe si se hacía ilusiones de que fuera suyo, a pesar de lo que Norma le había contado ya sobre aquel muchacho inventado que la había seducido con engaños; quién sabe qué pasaba por su cabeza cuando se despertaba al mediodía y se quedaba un largo rato sentado sobre el colchón, con la mirada fija en la tierra cuarteada por el sol despiadado, perdido en la algazara de los zanates y las urracas que anidaban en los árboles cercanos, con los pelos alborotados y la boca entreabierta. Tan feo que era, pensaba Norma al contemplarlo; y tan dulce, al mismo tiempo; tan fácil de querer pero tan difícil de comprender, de alcanzar: ¿Por qué insistía en decirle a Norma, y a todo el que quisiera escucharle, que trabajaba de velador en un almacén de Villa, si Norma jamás lo vio con uniforme; si las horas en las que iba y venía del pueblo nunca eran las mismas, ni se ajustaban a un horario laboral sensato? ¿Por qué nunca tenía dinero pero siempre regresaba a casa oliendo a cerveza, a veces con alguna prenda nueva puesta, o con algún regalo inútil para ella: una rosa marchita envuelta en celofán, un abanico de cartón pintado, una tiara de fantasía, de esas que regalan en las fiestas, obsequios para una niña tonta, no para una esposa? ¿Por qué decía que Norma era lo mejor que le había pasado en la vida, lo más puro y especial y sincero que había sentido nunca hasta el momento, si apenas la tocaba, si apenas hablaba con ella, si Norma más bien sentía que el cariño que él decía sentir por ella era una cosa frágil que cualquier vientecillo podría arrancarles de las manos en cualquier segundo? Así igualito de pendejo era su padre, decía Chabela, blandiendo el tenedor con comida ya fría; pero más pendeja fui yo por dejarme preñar de ese idiota. Por tonta, de verdad, por bruta; porque Maurilio me tenía enculada con su labia, con sus pinches canciones, pero sobre todo con su verga; porque yo tenía catorce años cuando lo conocí, recién llegada a Villa, hasta la madre de cortar limones allá en el rancho y que mi papá se clavara todo el dinero y se lo gastara empedándose y jugándoselo a los gallos; hasta el día que me enteré que por acá estaban construyendo una carretera nueva, para conectar los pozos con el Puerto, y que según esto era una mina de oro y que había cantidad de trabajo, y yo no sabía hacer nada, nada más que cortar limones, pero igual me vine para acá yo sola, y cuál fue mi sorpresa cuando vi que este pueblo estaba todavía más culero que Matadepita, pa' su madre, y el único lugar donde me dieron trabajo fue ahí en la fonda de doña Tina, pinche vieja culera y cara de verga, avara como ella sola. Casi casi tenía yo que rogarle para que me pagara, negra cabrona, y decía que yo me clavaba las propinas, pero cuáles, si en ese pinche changarro no se paraban ni las moscas. Ah, pero eso sí, la hija de la chingada se creía la muy pudiente, la muy burguesa y decente, como si la bola de hijos que tuvo se los hubiera hecho el Espíritu Santo, vaya; como si el changarro y el terreno no lo hubiera comprado con el dinero que se ganó matando a sentones a los garnacheros y los talacheros que se instalaron primero de este lado de la carretera. Pinche vieja cambuja, ahora se quiere hacer la santa y la decente, pero las dos hijas le salieron más saltapatrás y más putas todavía que ella, y las nietas ni se diga, vaya. Siempre me han tenido mala fe, todas ellas, y desde que entré a la fonda me trataron con la punta del zapato, y peor aún cuando se enteraron de que yo andaba con Maurilio; luego luego inventaron que yo tenía sidral y que había matado a no sé cuántos pinches choferes de una empresa transportista, pinches chismes culeros que se inventaron por pura envidia. Y el pinche Maurilio nunca me defendió de ellas: pocos huevos, mantenido. Yo no sé de verdad cómo pude ser tan bruta para dejar que me hiciera ese chamaco. Si yo antes de embarazarme era un cuero, un día te voy a ensañar mis fotografías: yo paraba el tránsito cuando enseñaba la pierna en la carretera, mamacita, y de haberme ido a la Capital, como todo el mundo me decía que hiciera, seguro me hubieran contratado para salir en la tele, o ya de perdis en las revistas, de lo bonita y lo buenota que estaba, mamacita. N'ombre, yo cobraba lo que quería en esa época, antes de embarazarme, y hasta me daba el lujo de ponerme mis moños y nunca tenía problemas para que al cliente se le parara: nomás me bajaba la blusa o les enseñaba el culo y esa madre se les ponía de fierro. Pero mi pinche error fue encularme con el Maurilio. Esa fue mi perdición. A él ni siquiera le cobraba, imagínate; así de pendeja me tenía. La gente luego decía que yo empecé en el talón porque él me lo exigió, pero mentiras, hasta para eso era pendejo; nunca tuvo espíritu emprendedor. Yo empecé en esto de la putería sola, vaya; si a mí esa madre siempre me salió natural. Y tú seguramente me entiendes, Clarita, porque serás muy mensita y muy modosita pero no estarías en este apuro si no te gustara la masacuata, cabrona. ¿A ti no te pasaba que desde chiquitita sentías como cosquillas en la parte? ¿No tenías tus noviecillos con los que jugabas al teto-teto, tú te agachas y yo te la meto? Yo agarraba y me le escapaba a mi papá, y me iba a los descampados a espiar a las parejitas que cogían, y luego hacía lo mismo con los chamacos de por la casa; me los llevaba lejos y ahí escondidos entre los matorrales me bajaba los calzones y me abría de piernas y me los cogía a todos y hasta temblaba de la emoción cuando se me subían encima con sus verguitas bien duras, y hasta fila hacían los cabrones para cogerme, y eso que ni pelos teníamos. Por culpa de esa calentura fue justamente que me embaracé de ese pinche chamaco, por el gusto que me daba de coger con el Maurilio; con los otros, no, con esos yo nunca gozaba, solo con él, pero bien poquito me duró el gusto, Clarita, porque como a los seis meses de vivir juntos al pendejo lo metieron al bote por matar a un pobre cabrón de Matacocuite y me quedé sola y tuve que ponerme a talonear para no morirme de hambre, y para poder llevarle su dinero al Maurilio a la cárcel y seguir cogiéndomelo allá dentro, en el bote. Vieras que esa fue la época en que más dinero hice, porque hasta eso, yo extrañaba un chingo al idiota de Maurilio pero al mismo tiempo estaba más libre que nunca, sin nadie que me estorbara ni me quitara el tiempo, y yo me la pasaba trabajando y me iba con todos los que me llamaban, por feos y gordos que estuvieran los cabrones: si pagaban buena lana, yo se las aflojaba. Total, me decía yo, todos los hombres son la misma mamada; todos quieren lo mismo; todos sueñan con enseñarte su pitito y que tú digas: uy, qué animalón tienes, papacito, y qué rica te sabe, métemela despacito para que no me lastimes, aunque muy en el fondo ellos sepan que todo es pura pinche cábula, ¿verdá? Porque todos, todos son lo mismo. O sea, sí tienen sus diferencias, ¿no? Y hay que saberles agarrar el modo, porque no es lo mismo que un escuincle te arrime su pajarito a que una bola de traileros gordos y apestosos te la estén mete y mete sin que tú sepas ni cómo se llama el que te la mete, ¿verdá? Y eso es lo que más trabajo cuesta, al principio: acostumbrarte a lidiar con esos pendejos, aprender a darles por su lado, a soportar a los borrachos; pero después de un rato les agarras el pedo, y la verdad es que hasta el cuerpo le va cogiendo gusto al desmadre, y lo mejor de todo es que con la edad se te va quitando lo pendeja y te das cuenta de que para hacer dinero en este negocio, dinero de verdad, lo único que se necesita son unas buenas nalgas, y mejor si no son las tuyas, mamacita; mejor si son de una bola de chamacas pendejas con la misma jiribilla con la que tú empezaste: ahí está el negocio de a deveras. Yo por eso ya no me desgasto a lo pendejo. ¿Por qué crees que sigo enterita? Estaré ruca y arrugada pero mira, mira nomás estas nalgotas, mira qué paradas las tengo todavía; y mira, no tengo ni una sola estría en la panza, y todavía aprieto como si fuera jovencita. Porque ahora ya nomás cojo con quien me gusta, y hasta me doy el lujo de mantener a mi marido, que aquí entre nos, así como lo ves de chueco y jodido, tiene una maña para usar la bemba que ni te imaginas, Clarita; yo nomás me le siento en la cara y no me paro hasta que me vengo por lo menos cinco veces seguidas; es una cosa bárbara, ese pinche Munra. Nomás por eso no lo boto a la verga, nomás por eso lo he aguantado todos estos años, pinche cojo culero. Y vieras lo guapo que era de chico, lo machín que se veía en su moto, antes de que me lo desgraciaran esos pinches perros traileros. Y Norma miraba al Munra, sentado sobre el sillón frente a la tele, reventándose con la uña del índice un barro gigantesco que le había salido en el cuello, y no podía evitar un calosfrío al imaginar la cara de aquel hombre metida entre sus muslos. Al menos Pepe sí era guapo; al menos Pepe tenía unos bíceps que podía hinchar hasta que casi le reventaban las costuras de la camisa. El Pepe hacía cien lagartijas, cien sentadillas y cien abdominales todas las mañanas, recién cuando se despertaba, y era tan fuerte que una vez la cargó durante varios kilómetros montaña abajo, en aquel viaje que hicieron a los cerros que rodeaban Ciudad del Valle, cuando a Norma se le congelaron los pies por no ponerse calcetas. N'ombre, seguía diciendo Chabela, ya para cuando el pinche Munra llegó a mi vida yo ya me las sabía de todas todas, y por eso fue que le dije que si quería estar conmigo a huevo tenía que cortarse la manguera de los huevos, porque yo ya no quería volver a tener más hijos; yo ya no estaba para sorpresitas pendejas. Si con ese pinche chamaco quedé traumatizada, tú. No tanto por el dolor de parirlo, sino por lo mal que me fue después de tenerlo; todo el tiempo me sentía de la verga, y no podía trabajar, y casi me muero de hambre, con el Maurilio en la cárcel y yo enferma y sin un clavo. Aunque ahora que lo pienso ese fue el momento en el que agarré el pedo, y entendí lo pendeja que había sido hasta entonces y me dije: voy a mandar a la verga a Maurilio; no voy a volver a visitarlo al bote ni a darle ni un solo quinto; que su chingada madre lo mantenga a él, y a su pinche hijo. Aunque no fue fácil tomar la decisión, porque la verdad es que en ese entonces yo todavía estaba enculada con Maurilio. Solo podía gozar con él; con los clientes te digo que no; con ellos era pura chamba, puro cotorreo, pero con Maurilio era distinto. Y es que el cabrón tenía una reata así de este tamaño, mamacita, y aunque era pendejo pa' coger yo nomás llegaba y lo empujaba a la cama y me le trepaba encima y me sumía en esa verga hasta no verla; lo montaba como jueguito de feria, mamacita, como toro mecánico. Y es que en ese entonces yo era bien pendeja, te digo; yo no sabía que cuando gozas con un hombre la matriz se te calienta y es cuando más fácil se pegan los mocos, chingados; yo no sabía nada, apenas tenía quince años y no me di cuenta de nada hasta que fue demasiado tarde para sacármelo. Porque yo nunca quise tener hijos, y tu marido bien que lo sabe, porque esas cosas hay que decirlas, para qué andar haciéndose la mártir, mejor decirlo bien claro y sin pelos en la lengua y que todo el mundo lo sepa: eso de tener hijos está de la verga; no hay ni cómo adornar el hecho de que en el fondo todos los chamacos son unas rémoras, unas garrapatas, unos parásitos que te chupan la vida y la sangre y encima ni te agradecen nunca los sacrificios que una a huevo tiene que hacer por ellos. Tú lo sabes bien, Clarita, tú viste cómo tu madre se fue llenando de hijos, uno tras otro, como una pinche maldición, y todo por la pinche jaria, no digas que no; por la pinche calentura, y por pendeja, por creer que los hombres van a ayudarte pero a la mera hora es una la que tiene que partirse la madre para sacárselos de adentro, y partirse la madre para cuidarlos, y partirse la madre para mantenerlos, mientras el cabrón de tu marido se va de pedo y se aparece cuando se le hincha la gana. ¿O en serio crees que ese pinche Luismi va a cambiar si tienes a tu chamaco? ¡N'ombre, si yo lo conozco! Ya te ha de haber dicho que lo tengas, que él te va a apoyar, que va a ser el padre, y quién sabe cuántas mamadas más, ¿verdá? Pero óyeme lo que te voy a decir, mamacita, y no me lo tomes a mal, que yo conozco cómo es ese pinche chamaco; no por nada lo parí, y déjame decirte que es igual de huevotes que su padre, y nunca va a cambiar, nunca te va a cumplir porque lo único que ese cabrón tiene en la cabeza es la droga. La droga y la putería. Aunque te diga que ya no, que ya la dejó; aunque te jure y te perjure que nada más sale a tomarse unas cervezas, es cuestión de tiempo nomás para que regrese a su vicio, a las pastillas, a los antros de la carretera. Carajo, si tan siquiera se metiera coca por lo menos andaría despierto y a las vivas, pero lo que le gusta es andar bien pendejo, y bien que sabes que te estoy diciendo la verdad porque tú no eres ninguna idiota, Clarita; tú no tienes la culpa de que un cabrón aprovechado se burlara de ti, pero tienes que entender que ese pinche chamaco no va a cambiar nunca, te diga lo que te diga y prometa lo que prometa. ¿Tú crees que no sé en qué desmadre está metido? ¿Tú crees que algún día se le va a quitar lo puto y te va a coger como tú te lo mereces? El mejor consejo que puedo darte es este: deja que te lleve con mi amiga; deja que te ayude con eso, y así podrás pensar bien lo que quieres hacer sin la presión de tener un chamaco en la panza, porque estás muy chamaquita para saber siquiera qué chingados quieres de esta vida, y cuando te veo es como si me viera a mí misma de chiquita y pienso: ojalá en ese entonces yo hubiera tenido a alguien que me ayudara a sacarme a ese pinche chamaco a tiempo, alguien que me hubiera llevado con la Bruja. Vas a ver que a la mera hora ni siquiera nos va a cobrar; ni falta que le hace, con lo millonaria que es; está forrada de dinero, aunque la veas ahí refundida en ese cuchitril y vestida con garras. Vas a ver cómo enseguida te ayuda; tú nomás déjame hablar a mí: ándale, manita, hay que ayudarla, pobrecita, ¿no ves que es una pobre chamaca babosa? Dile cuántos años tienes, mamacita. Y Norma: trece. ¿Ya viste? No me chingues, pinche Bruja, no te pongas con tus moños ahora, cabrona; mira que hasta el chamaco está de acuerdo con esto. ¿No ves que no tienen ni para comer estos dos pobres pendejos? Y además la criatura ni es de

Luismi; díseselo, Clarita; cuéntaselo, que por mensa te dejastes de un baboso de Ciudad del Valle; dile que no hay pedo, que tú quieres sacártelo. Y la Bruja, que todo ese tiempo les dio la espalda por andar trajinando en aquella cocina apestosa, se volvió para mirar a Norma con los ojos brillando detrás del velo y, después de un largo silencio, dijo que antes de cualquier cosa tenía que revisar a Norma primero, palparla para ver qué tan avanzado estaba el asunto, y ahí mismo, sobre la mesa de la cocina, la acostaron de espaldas y le subieron el vestido y la Bruja le pasó las manos por el vientre con rudeza, casi con coraje, tal vez hasta con envidia, y después de un rato de estarla tanteando la Bruja dijo que iba a ser muy difícil, que ya era muy tarde, y la Chabela: coño, te pago lo que quieras pero sácaselo, y la Bruja: no es por el dinero, es por ella, y Chabela: es el Luismi el que te lo está pidiendo, nomás que ya sabes cómo es de orgulloso y no se atreve a darte la cara; le da vergüenza pedirte el favor después de que se pelearon, todo mientras Norma permanecía ahí echada, con el vestido arremangado a la altura de los senos y la cabeza junto a la manzana podrida clavada al plato con aquel cuchillo afilado, y cuando al fin alzó la cabeza vio que la Bruja se movía por la habitación buscando cosas, moviendo cazuelas, destapando frascos y botellas y murmurando quién sabe qué oraciones o conjuros diabólicos con su ronca voz aflautada, y en todo ese tiempo que estuvieron esperando Chabela no dejó de llenar el aire viciado de la cocina con el humo de sus cigarros, y de platicarle a la Bruja la vida y obra de su nuevo amante, el tal Cuco Barrabás, el tipo del que Luismi le había advertido, el tipo de la camioneta negra que estuvo rondando a Norma aquella primera tarde que llegó a Villa, cuando se le acabó el dinero para el pasaje y el chofer la bajó en la parada junto a la gasolinera, donde permaneció sentada varias horas sin saber qué hacer ni a dónde ir y sin siquiera saber en qué dirección se encontraba el Puerto, como para pedirle aventón a los traileros que pasaban cada pocos minutos frente a la parada y que le echaban miradas torvas, y una parte de ella sentía miedo de que quisieran hacerle algo, aunque otra parte decía que ya nada importaba, que de todos modos al final se tiraría del acantilado para ahogarse, para ahogar a la cosa esa que flotaba dentro de ella y que Norma no se imaginaba como un bebé en miniatura sino como una bola de carne, rosa e informe como un chicle masticado, y que por eso ya no importaba lo que le sucediera en el camino. Y así, peleando consigo misma, permaneció varias horas sentada en la parada al pie de la carretera, hasta que el tipo rubio de la camioneta negra se detuvo y se le quedó mirando mientras sonreía y la música tronaba desde la cabina: *me haré pasar, por un hombre normal, que pueda estar sin ti, que no se sienta mal, y voy a sonreír*; la misma canción que de pronto comenzó a sonar en el teléfono de Chabela cuando iban ya de regreso a la casa, en aquella oscuridad que a cada minuto se iba haciendo más densa y engullía los colores a su alrededor, convirtiendo las copas de los árboles y las matas de los cañaverales y el lienzo de la noche en una única y sólida mole de esquisto en la que brillaban, como diminutos carbunclos, los focos que colgaban sobre las puertas de las casas del pueblo, allá a la distancia. Chabela tiraba de su muñeca y Norma hacía su mejor esfuerzo por seguirle el paso, apretando en su otra mano el frasco que contenía el menjurje salvador, su única esperanza, con la aprehensión creciente de que, en cualquier momento, el camino se abriría a sus pies y ella caería al fondo de un barranco y se rompería todos los huesos, o peor aún, que el frasco se rompería y el brebaje se derramaría sobre la tierra sedienta, o todavía aún más terrible, que de la oscuridad surgiría uno de esos seres malignos que habitaban los bosques de los cuentos, un chaneque de rostro arrugado y ralos cabellos que les lanzaría un conjuro para enloquecerlas, o para hacerlas caminar en círculos por aquella vereda oscura por toda la eternidad, entre el desquiciante zumbar de las chicharras y los alaridos que periódicamente lanzaban los tapacaminos de ojos colorados. El teléfono de Chabela comenzó a sonar: *me haré pasar por un hombre normal*, y Norma estuvo a punto de lanzar un grito, *que pueda estar sin ti, que no se sienta mal*, y chocar con Chabela, que le había soltado la mano para buscarse el teléfono entre las ropas y responderlo, zalamera: mi vida, cómo estás, mi vida, estaba pensando en... Claro, afirmativo, ahorita mismo... No, no, pero ya casi llego, es que andaba... No, no te preocupes, en quince, sí. Y colgó el teléfono con un suspiro y le gritó a Norma: apúrate, apúrate, mamacita, que tenemos que llegar antes que esos cabrones; te voy a tener que dejar sola, pero tú no te preocupes; tómate esa madre y listo, vas a ver que mañana en la mañana ya estás como nueva; yo lo he hecho como cien mil veces y no hay pedo, pero chíngale, ¡chíngale, mamacita, que ya se me hizo tardísimo! Y todavía ni me baño, ¡Dios de mi vida! ¡Pícale, pícale, pinche Clarita! Norma trataba de seguir a Chabela en la oscuridad pero tenía la impresión de que la voz de la mujer se alejaba cada vez más de ella, y que si no se apresuraba terminaría por quedarse sola en aquellas tinieblas, sujetando con fuerza el frasco lleno del asqueroso líquido que tuvo que beberse completo, todito, hasta la última gota. Y la Bruja había tenido razón: le costó muchísimo contener las náuseas que la porquería esa le provocó, pero más trabajo le costó aguantarse las ganas de gritar cuando le vinieron los dolores: por ratos le parecía que alguien tiraba de sus tripas desde afuera, que las estiraba y las estiraba hasta que los tejidos se desgarraban, y quién sabe cómo tuvo fuerzas para bajarse del colchón y salir al patio y darle la vuelta a la casita y ponerse a cavar un hoyo en la tierra con los dedos y con las uñas y con las piedras que iba desenterrando, un agujero donde al final se metió y se acuclilló a pesar del dolor que había convertido su sexo en un tajo abierto a golpe de faca, y pujó hasta sentir que algo se le reventaba, y todavía se metió los dedos para comprobar que no quedara nada adentro, antes de tapar el agujero y aplanar la tierra con las manos sangradas y arrastrarse de regreso al colchón desnudo y hacerse un ovillo y esperar a que el dolor pasara; esperar a que Luismi volviera del trabajo, completamente borracho, y la abrazara por detrás sin darse cuenta de que sangraba sin parar, de que estaba ardiendo de fiebre, hasta el día siguiente a mediodía, cuando Norma quiso pararse del colchón y no pudo, por mucho que el calor se tornaba cada vez más insoportable, y lo único que podía decirle a Luismi era duele, duele, y agua, agua, y cuando sus labios se humedecieron con el líquido que Luismi le llevó en una botella, Norma bebió hasta perder la consciencia y soñó con el agujero que cavó detrás de la casita; soñó que del agujero brotaba un pececillo vivo que nadaba en el aire y que la perseguía por la vereda, tratando de meterse bajo su vestido, meterse de nuevo dentro de ella, y Norma gritaba aterrada pero de su boca no salía ningún sonido, y cuando volvió a despertarse ya no estaba sobre el colchón de la casita sino echada de espaldas sobre una camilla, con las piernas abiertas y la cabeza de un tipo calvo metida entre ellas, y la sangre seguía manando y ella no sabía cuánta le quedaba aún en el cuerpo, cuánto tardaría en morirse ahí bajo la mirada asqueada de la trabajadora social y el eco de sus preguntas: quién eres, cómo te llamas, qué te tomaste, dónde lo botaste, cómo pudiste hacerlo, y luego nada, un silencio negro salpicado de gritos, del llanto de niños recién nacidos que la llamaban, coreando su nombre, y despertó para encontrarse desnuda bajo la bata de tela basta, atada al barandal de la cama con vendas que le quemaban la piel de las muñecas, en medio del parloteo de las mujeres y la peste rancia y lechosa del sudor de los críos que berreaban en el calor de la sala y que hacían que Norma quisiera escapar corriendo de aquel sitio, romper sus vendajes y huir como fuera del sanatorio, huir de su propio cuerpo adolorido, de esa masa de carne abotargada y henchida de sangre, de pavor y de orina que la mantenía anclada a la maldita cama. Quería tocarse los pechos para aliviar las punzadas que los atravesaban; quería apartarse el cabello empapado de sudor de la cara, rascarse la comezón desesperante que sentía en la piel de su vientre, arrancarse el tubo de plástico enterrado en el hueco de su antebrazo; quería tirar y tirar de aquellas vendas hasta romperlas, escapar de aquel lugar donde todos la miraban con odio, donde todos parecían saber lo que había hecho; estrangularse las manos, degollarse a sí misma en un grito elemental que, al igual que la orina, ya no pudo contener por más tiempo: mamá, mamita, gritó a coro con los recién nacidos. Quiero irme a casa, mamita, perdóname todo lo que te hice.

VI

Mamáááááááááá, gritaba el hombre, perdóname, mamá, perdóname, mamita, y aullaba igual que los perros pisados por los camiones mientras se arrastraban, aún vivos, hacia la cuneta: mamáááááááááááááá, mamiiitaaaaaaa. Y Brando —encogido en su rincón, el hueco entre la pared y el excusado de la celda, el único lugar que alcanzó a reclamar como propio cuando los hombres de Rigorito lo aventaron al interior de los separos— pensó, no sin cierto regocijo, que tal vez era Luismi el que gritaba, Luismi quien aullaba preso de una congoja devoradora, Luismi berreando hasta vomitarse mientras le reventaban las tripas a tablazos para que confesara. El dinero, querían saber dónde estaba el dinero, qué habían hecho con el dinero, dónde lo habían escondido, y eso era lo único que le interesaba al marrano asqueroso de Rigorito, y a los putos policías que tundieron a Brando hasta hacerle escupir sangre para después arrojarlo al calabozo aquel que olía a orines, a mierda, al sudor acedo que despedían los infelices borrachos, acurrucados como él contra las paredes, roncando o riendo en susurros o fumando mientras lanzaban miradas voraces en su dirección. Había tenido que defenderse de tres tipos que le cayeron encima nomás cruzó la reja; tres batos que lo recibieron a pechazos y le ordenaron que se quitara los tenis, o qué, ¿te vas a poner felón, matachotos?, dijo su líder, el que gritaba más fuerte, el que sacudía las manos rozando la cara de Brando, un tipo prieto, en los huesos casi, chimuelo y barbado y vestido con algo que parecía más una jerga rota que una camisa, y un vozarrón que quién sabe de dónde le salía: órale, pinche mayate, o te caes con los cacles o te lleva la verga, y Brando, que apenas podía mantenerse erguido por culpa de la golpiza que acababan de propinarle los policías, no tuvo de otra más que descalzarse y entregarle sus *adidas* al malandro barbado, que rápidamente se los puso y comenzó a ejecutar una suerte de danza triunfal que incluía patadas casuales a los borrachos que gemían en sueños sobre el piso de la celda. El llorón aquel, el perro reventado, no dejaba de chillar ni un instante. Sus gritos rebotaban entre las paredes de los separos y por ratos se volvían ininteligibles cuando los demás presos le respondían, también en alaridos: ¡Ya cállate, perro sarnoso! ¡Cállate, pinche asesino! El bato mata a su mamá, bien pinche loco de piedra, ¡y dice que el diablo lo hizo! ¡La santa palomita! Unos vergazos es lo que le faltan, para que se calle a la verga, perro de mierda. Brando había conseguido acurrucarse en un rincón orinado de la celda, con los brazos cruzados sobre el vientre y las nalgas lo más pegadas a la pared como le era posible, encogido en la única posición en la que sus vísceras parecían mantenerse unidas y no dispersas y henchidas en la cavidad seguramente sangrante de su abdomen. Aún con los ojos cerrados podía sentir la presencia del líder rondándolo, sentir el tufo mugriento que desprendía la piel del loco ese. Matachotos, le decía el tipo: mira, matachos, mira… Pero Brando se tapó las orejas con las manos y sacudió la cabeza. Ya le había dado lo único de valor que le quedaba. ¿Qué más quería aquel tipo? ¿Sus calzones cagados? ¿Las bermudas salpicadas de sangre y de orines? Ya había pagado con los tenis su derecho de piso, ¿no se merecía acaso unos minutos de tranquilidad en los que pudiera gimotear por sus numerosas heridas? El llorón seguía berreando en algún lugar al final del pasillo, seguramente desde aquella celda diminuta que los polis llamaban, cariñosos, "el agujerito": yo no fui, mamá, yo no fui, gritaba; fue el diablo, mamá, fue la sombra que se metió por la ventana, yo estaba dormido, mamita, la sombra del diablo, y los presos que no estaban pedos ni madreados volvieron a responderle con burlas y obscenidades y chiflidos. Le traían ganas, pues; algunos hasta se atrevían a dirigirse al guardia que cuidaba la puerta de los separos, pa' ver si no podían prestárselos tantito; meterle una verguiza y chance hasta una culeada pa' darle motivos pa' chillar, pinche asesino, pinche mal hijo, cómo matar a su mamacita, cómo es que estos pinches cuicos de mierda no te han dado tu calentada, hijo de la verga malparido. ¿Dónde estaba Rigorito? ¿Dónde estaban sus achichincles? ¿Dónde el balde lleno de meados pa' poner a bucear a este puto desgraciado? ¿Dónde los cables y la batería para tatemarle los huevos? Se había largado, el pinche marrano del comandante, a bordo de la única patrulla de Villa, en compañía de sus esbirros; se había largado para la casa de la Bruja tan pronto acabaron de madrearse a Brando en aquel cuartito detrás de la comandancia. ¿Dónde está el dinero?, gritaba el marrano asqueroso, habla o te ahogo como la pinche rata que eres; habla o te corto la verga y te la meto por el culo, chamaco puto, maricón de mierda, necio con que quería que Brando le dijera dónde estaba el dinero aunque el chico ya le había jurado que no había encontrado nada en la casa, que no existía ningún tesoro, que todo era mentira, chismes que la gente se había inventado, y hasta había llorado frente a esos hijos de la chingada al recordar el coraje y la decepción que sintió cuando no lograron encontrar nada en aquella casa más que unos mugres doscientos pesos sobre la mesa de la cocina, y un puñado de monedas regados en el piso de la sala, nada de tesoros, nada de cofres con oro, nada más que pura basura, pura mierda podrida por la humedad, y papeles y trapos y porquerías y cagadas de salamanquesa y cucarachas muertas de hambre, porque hasta las bocinas y los aparatos de música que el puto usaba para sus fiestas estaban destruidos, destripados y esparcidos por todo el piso de abajo, como si en una de sus histerias al maricón se le hubiera ocurrido agarrar las consolas y subirlas al piso de arriba nomás para aventarlas por el barandal y reventarlas contra el suelo. No había nada, nada de nada, les dijo a los policías, pero cuando dejaron de golpearlo en los riñones con aquel leño que Rigorito y sus muchachos se turnaban para no cansarse, cuando le mostraron los cables y la batería con los que pensaban electrocutarlo, y cuando le bajaron la bermuda orinada y le amarraron las manos a una tubería que colgaba del techo, a Brando no le quedó más remedio que hablarles del cuarto cerrado: la puerta esa en la planta alta de la casa de la Bruja que siempre tenía llave; que ninguno de los dos pudo tumbar aquella tarde por mucho que trataron y estuvieron haciéndole palanca. Tuvo que confesarles también, cuando Rigorito le puso los alambres desnudos sobre los huevos, que esa misma noche él había regresado a la casa, después del asesinato, después de haber tirado su cuerpo en el canal de riego, ya sin Luismi ni Munra, para registrar él solo la casa de nuevo, porque cómo era posible que no hubiera nada ahí dentro, carajo, y que después de revolver toda la planta baja había subido las escaleras y revisado nuevamente las habitaciones de arriba, e intentado una vez más tirar la puerta del cuarto cerrado, e incluso había pensado en romperla a machetazos, porque estaba convencido de que a huevo tenía que haber algo ahí dentro, algo de valor, si no por qué tantas precauciones para que nadie entrara a la habitación, para que nadie subiera. Y solo después de confesarles esto, después de lloriquear por culpa del pinche coraje y la humillación y los chingadazos, los putos puercos parecieron satisfechos y lo sacaron de aquel cuarto y lo arrojaron a los separos y se largaron en chinga a bordo de la patrulla, seguro que derechito a casa de la Bruja, a buscar ellos el maldito dinero, a tirar la puerta a balazos si hacía falta, aunque Brando estaba casi seguro de que Rigorito tampoco iba a encontrar nada en aquel cuarto, y que cuando se diera cuenta de que todo había sido en balde regresaría a la comandancia para vengarse de Brando y cortarle la verga y las orejas y luego dejarlo desangrarse en el interior de aquella celda que más bien parecía un ataúd parado: el famoso "agujerito", tal vez en alegre compañía del loco ese que mató a su madre bien piedro. Porque la verdad era que al comandante Rigorito la muerte de la Bruja le valía tres toneladas de verga, y lo único que el culero quería saber era dónde estaba el oro: cuál oro, gritaba Brando, y zum, un madrazo en la boca del estómago; dime dónde lo escondiste, y súcutum, un tablazo en los riñones antes siquiera de poder contestarle que no sabía, como si el bato pudiera leerle la mente, carajo; y así puedo estar todo la noche, matachotos, esta madre es mi deporte, así que canta: ¿dónde está el dinero? ¿Dónde lo escondiste? Sentía los riñones molidos por dentro y la carne de las nalgas lacerada por los tablazos pero, eso sí, los muy cabrones tuvieron el detalle de no pegarle en la cara, para que los periodistas pudieran tomarle fotos mañana y que luego no anduvieran chismeando de que lo madrearon para que confesara. Su madre se enteraría al día siguiente de todo, al ver su rostro en las páginas de la nota roja, aunque lo más seguro era que alguna vecina ya le hubiera ido con el chisme de que lo vieron cuando los policías lo subieron a golpes a bordo de la patrulla, ahí mero enfrente de la tienda de don Roque. El líder de la Banda de los Matachotos, lo llamaba el pendejo marrano de Rigorito; pinche culero exagerado, si nomás fue un choto el que mataron; tampoco era como que Brando se dedicaba a eso, y además, la neta, al chile que la Bruja se lo merecía: por choto, por feo, por culero y por manchado. Nadie iba a extrañar a ese pinche maricón de mierda; Brando ni siquiera estaba arrepentido de lo que había pasado. ¿Por qué habría de estarlo? En primer lugar, él ni siquiera le enterró el cuchillo; nomás le pegó unos vergazos para que se ablandara, ¿no?, cuando recién entraron en la casa, y luego después, cuando la subieron a la camioneta del Munra. Pero el que la mató fue Luismi; la culpa de todo era de Luismi; él fue quien le enterró el cuchillo en el cuello, le dijo a Rigorito. Brando nomás al final lo agarró del mango y lo tiró al canal. Pero el comandante no quería saber nada de eso; a él nomás le interesaba el dinero, el puto dinero, y Brando no hallaba cómo convencerlo de que no había ningún dinero, de que nunca lo hubo, que todo fue una enorme decepción, y que si de algo sentía remordimientos era de no haber tenido los huevos para matarlos a todos, al pendejo de Luismi y de paso al cojo de mierda hocicón del Munra y largarse a la chingada de ese pueblo apestoso, lleno de chotos; deberían agarrarlos a todos y ponerlos juntos y quemarlos, les dijo a los policías, quemar a todos los putos maricones del pueblo, y ¡sangre!, hasta la vejiga se le aflojó por culpa del leñazo que le metieron en los ijares. Y así orinado y apenas capaz de caminar y con un gusto metálico en la boca, lo metieron a la celda para que los hijos de puta mugrosos esos le robaran: sus tenis nuevos, carajo; sus tenis de marca, originales y toda la cosa, que le habían costado buena parte de los dos mil varos aquellos que le chingó al Luismi; los famosos dos mil varos que la Bruja le había dado a Luismi para que fuera a La Zanja y comprara cocaína, y el pendejo estaba tan empastillado que ni cuenta se dio cuando Brando lo bolseó de camino, y la Bruja se puso furiosa al día siguiente cuando vio llegar a Luismi sin coca y sin dinero, porque creyó que el bato la quería agarrar de pendeja, como siempre, y lo corrió de la casa y le dijo que nunca más quería volver a verlo, en uno de esos panchos convulsos de maricón despechado que a cada rato armaba la Bruja por nada; una escena ridícula en donde el pinche choto acabó pataleando en el suelo mientras que el imbécil de Luismi le gritaba que él no era ningún pinche ratero, que él no se había robado nada, que alguien más tuvo que haberle quitado el dinero, o que tal vez se le había caído sin querer de las bolsas por andar bien loco, y los dos estaban tan clavados en su iris telenovelesco que ninguno sospechó de Brando, que a la semana siguiente, una vez que el Carnaval se terminó, fue a los Almacenes Principado de Villa y se compró sus tenis *adidas* blancos con rojo que tan padrotes se le veían puestos, y a todos los que le preguntaron quién pompó les dijo que su jefe se los había regalado, aunque hacía años que el culero de mierda no se paraba en el pueblo a visitarlos y a los pedos les seguía mandando una mensualidad miserable con la que él y su madre malvivían. A ella ni siquiera tuvo que explicarle de dónde salieron los tenis; era tan pendeja que ni siquiera se fijaba que Brando nunca usaba los zapatos de mierda que ella le compraba en el mercado, porquerías pasadas de moda que a los dos días ya tenían agujeros y estaban todos raspados, zapatos de pobre que ella elegía cuando iba de compras a esas tiendas culeras donde compraba la mierda con la que decoraba la casa: angelitos de plástico, afiches de la Última Cena, pastorcitos de cerámica y animales de peluche con los que llenaba el sofá de la sala, al grado de que uno apenas podía sentarse ahí, porque no había manera de posar las nalgas cómodamente en el puto mueble con todas esas mierdas polvorientas ahí estorbando, y solo por eso, cuando su madre no se daba cuenta, esas tardes en que se la pasaba metida en la iglesia rezando el rosario con el resto de viejas mochas del pueblo, Brando elegía alguno de esos peluches y los destripaba y los quemaba con petróleo en el patio, deseando que fueran animales de verdad, de carne y hueso, conejos y cachorros de oso y gatos de ojos soñadores cuyo pelaje ardería entre chillidos agónicos. Le daba coraje que su madre fuera tan pendeja, tan crédula; que por su culpa tuvieran que comer frijoles a diario, porque buena parte de lo que el padre de Brando les mandaba, que no era mucho, ella lo donaba al seminario. Le daba un chingo de coraje que su madre se la pasara metida en la iglesia dándole coba al puto ese del padre Casto, que no hacía otra cosa más que joder a Brando cuando se aparecía a comer por la casa: que por qué ya no iba a misa, que por qué ya no se confesaba, que por qué se juntaba con tan malas compañías. ¿Qué esperaba Brando para quitarse esa ropa llena de símbolos satánicos, de diablos y cadáveres y blasfemias contra el Señor? ¿Por qué no tiraba a la basura esa música que solo lo empujaba hacia el mal, directo a las garras de la perdición y la locura? ¿No le daba vergüenza mortificar a su pobre madre de aquella manera? Los viernes, en lugar de juntarse con esos malvivientes a emborracharse en el parque, mejor tendría que asistir a la misa que el padre Casto le dedicaba a los endemoniados de la parroquia, a todas esas gentes que por andar creyendo en la brujería quedaba en poder de las fuerzas oscuras, de las legiones de demonios y espantos sueltos por el mundo, espíritus malignos que nomás andaban a las vivas viendo quién les daba entrada con pensamientos impíos, con rituales de hechicería y creencias supersticiosas que por desgracia abundaban en aquella tierra debido a las raíces africanas de sus habitantes, a las costumbres idólatras de los indios, a la pobreza, la miseria y la ignorancia. Brando conocía bien esas misas; su madre solía llevarlo de pequeño, convencida de que su hijo estaba poseído. El servicio era larguísimo y aburrido porque todo lo canturreaba en latín el padre Casto, y Brando no entendía ni madres de lo que decía, aunque al final la cosa siempre se ponía medio interesante, porque nunca faltaba que algunas de las gentes que se sentaban en las bancas de adelante comenzaran de pronto a retorcerse o a poner los ojos en blanco cuando el padre Casto les echaba agua bendita y les ponía las manos encima, y también había un grupo de viejas locas que siempre se desmayaban, y otras que empezaban a gritar en lenguas extrañas, según ellas llenas del Espíritu Santo. Brando no tenía ni doce años en aquella época y no entendía por qué su madre lo llevaba allí, por qué estaba tan convencida de que él estaba endemoniado, si en realidad nunca sintió deseos de gritar en la misa o de retorcerse como ciempiés fumigado como las viejas mamarrachas esas, pero ella decía que era porque de un tiempo a la fecha a Brando le daba por hablar dormido, por llorar en sueños, o por levantarse para pasear por la casa como sonámbulo, hablando con presencias invisibles y a veces hasta riéndose. Si no estaba poseído por el diablo, entonces ¿por qué se había vuelto tan desobediente y esquivo? ¿Por qué nunca la miraba a los ojos cuando ella le decía que se sacara las manos de los bolsillos, que dejara de agarrarse lo que no debía, que saliera del baño y dejara de hacer las cochinadas que seguramente hacía ahí dentro? ¿No le daba vergüenza que Dios lo viera pecando? Porque Dios lo ve todo, Brando, especialmente lo que tú no quieres que Él vea, lo que haces encerrado tras la puerta del baño, con las revistas de la farándula de tu madre abiertas en el suelo; lo que tú solo aprendiste en las noches de insomnio sin que los vagos del parque tuvieran nada que ver en eso, aunque los culeros se la vivían chingando todo el tiempo con su: a ver, chamaco, ¿cuántas puñetas llevas hoy? Te está saliendo pelo en la mano, loco, ¿ya te fijaste? ¡Mira, mira, el pendejo se fijó! ¿No que no tronabas, pistolita? ¿No que no te la jalabas? Pero esa verguita que tienes seguro ni se te para, ¿verdad? Y Brando, chiveado, rodeado de muchachos que fumaban y bebían, algunos de los cuales le doblaban la edad, les respondía: a huevo que se me para, pregúntale a tu jefa, y los vagos se cagaban de la risa y Brando se sentía orgulloso de ser admitido en ese círculo que se reunía en la banca más alejada del parque, aunque los pendejos se la pasaran burlándose de él, de su nombre fresa y mayate, de la seguramente microscópica verga que tenía, y sobre todo, del hecho de que Brando, a sus doce años, jamás le hubiera echado los mocos adentro a nadie. Loco, ¡vales queso! Loco, la neta yo a tu edad hasta me cogía a las maestras. Qué pinche cábula eres, Willy, gritaba el Gatarrata. No mames, pendejo, ¿no te acuerdas de aquel día en que la Borrega le quiso dar yumbina a la maestra de sexto, y de cómo la vieja se puso bien loca y le empezó a dar el telele en el suelo? Tenía unas tetas bien ricas, cabrón, pero ese día nadie pudo vérselas, mucho menos cogérsela porque ya nunca regresó. Al que sí nos chingamos en sexto, ahora que hago memoria, fue al Nelson, dijo el Mutante. No mames, el Nelson, ¿qué será de ese pinche choto? Pues dicen que se fue para Matacocuite y que puso un salón de belleza, y que ya nadie le dice Nelson, que ahora se llama Evelyn Krystal. Pinche choto, las nalgotas que tenía, ¿te acuerdas, loco? ¿Y cómo pasaba frente a nosotros moviendo ese culote y haciendo como que no se daba cuenta de que lo veíamos? Estaba bien chico cuando lo desquintamos, pero es que ya estábamos hasta la madre de andarle viendo las nalgas, enfermos de jaria, y un día lo llevamos allá por los rumbos de las vías y entre todos le metimos la pitiza de su vida, ¿te acuerdas, loco? El chotito hasta lloraba de alegría, ¡no sabía ni qué hacer con tanta verga! ¿De verdad nunca se la has metido a nadie, pinche Brando? ¡Chale! ¿Ni siquiera a un putito? ¿Neta?

¿Ni a un cochinito, a una borreguita? Los muy cabrones se partían de risa y Brando, mordiéndose las uñas, nada más se reía, porque era cierto que a sus doce, sus trece, sus catorce años cumplidos aún no cogía con ninguna chica, nomás se la jalaba en el baño, con las revistas de la farándula que su madre compraba sobre el suelo; revistas que luego tenía que tirar a escondidas a la basura porque quedaban todas pringadas de mecos, el semen que finalmente había acabado por salirle, tal y como los pendejos del parque se lo advirtieron, aunque eso de que la verga le crecería entre más se la jalara no era cierto, y la verdad es que a Brando sí le preocupaba algo el tamaño de su verga, o más bien el ancho; él sentía que su pito era demasiado flaco, demasiado prieto, tirando casi a morado en la base, y bueno, la verdad es que también le parecía pequeño, sobre todo si lo comparaba con los pinches troncos que tenían los batos que salían en las películas porno que le compraba al Willy, cuando las viejas en bikini de las revistas de chismes de su madre le aburrieron. El local del Willy estaba escondido al fondo de una vecindad junto a los baños del mercado de Villa; era una bodega donde el bato guardaba todas las películas piratas que se vendían en los puestos, aunque su mero negocio era el de las películas porno y los cigarros de mariguana ya forjados que guardaba en un bote de esos de avena. El Willy se había reído mucho la primera vez que Brando llegó a comprarle porno: te va a salir pelo en la mano, loco, le decía; por eso estás cundido de granos, por eso estás tan pinche flaco, por tanta pinche chaqueta, y Brando le contestaba: pues a ti te vale verga, ¿no?, y se aguantaba el coraje y las burlas con tal de que Willy le permitiera meterse a la trastienda y escoger las películas guiándose por las fotografías de las carátulas mal impresas en papel brillante, y después de darse unos toques de mota que Willy siempre le invitaba, regresaba en chinga a su casa y ponía los videos en la consola de la sala y se cachondeaba mientras su madre iba a misa o a rezar el rosario, lo que podía durar varias horas y que le permitía meneársela frente a la pantalla, mirando una y otra vez las escenas que más le gustaban de las películas: aquella en donde un negro inmenso se chingaba a una güerita chichona sobre el cofre de un auto; o aquella otra en donde dos viejas se cogían la una a la otra al mismo tiempo, culo con culo, con un dildo gigante; o la parte de aquella película en donde una chinita lloraba y ponía los ojos en blanco como las endemoniadas de las misas del padre Casto mientras que dos batos se la cogían amarrada a la cama. Escenas que le aburrían pronto y de las que se cansaba muy rápido, hasta que un día, por pura chiripa, por un error del Willy o de la gente que pirateaba los videos en la Capital, vio por primera vez aquella escena que lo cambiaría todo, el video que para él marcaría un antes y un después en la vida de sus fantasías: el clip ese que apareció metido entre dos escenas de películas distintas, y en donde salía una muchachita muy delgada, de pelo corto y cara de niño, completamente desnuda y con pecas claras cubriéndole los hombros y los pechos pequeños y puntiagudos, y con ella aparecía también un perro negro inmenso, una cruza de gran danés que llevaba puestos un par de calcetines en las patas delanteras; una bruto babeante que no dejaba de perseguir a la chica por todo el cuarto, de arrinconarla contra los muebles para meter su hocicote negro entre las piernas de la chica y lamer con su lengua rosa el coño también rosa de aquella nena sonriente que reía como tonta y que fingía regañar al perro en un idioma que Brando no entendía. La película terminaba dos minutos después, cuando la chica fingía caer de espaldas sobre un sillón y el perro saltaba sobre ella y ponía sus patas calzadas en aquellos ridículos calcetines amarillos sobre los hombros de la chica, que acercaba su rostro a la verga punzante del animal y, justo en el momento en que ella abría sus labios de fresa para envolver la punta del miembro del perro, la escena se cortaba bruscamente con un segundo de pantalla azul y lo que seguía era una escena entre un tipo bien mamado al que nunca se le veía la cara y otra de esas rubias de tetas operadas. Brando lanzó un gemido de frustración y se apresuró a adelantar la película para ver si la chica y el perro volvían a salir pero fue inútil; tuvo entonces que conformarse con aquellos dos minutos, que reprodujo en *loop* durante horas, aunque lo que verdaderamente le hubiera gustado ver era cómo el perro se cogía a la vieja: cómo después de mamarle la verga, la vieja se daba la vuelta y el perro la montaba despiadadamente hasta llenarle el coño sonrosado de leche pegajosa, leche de perro caliente escurriendo por los muslos pálidos de la chica que gemía y se retorcía tratando de despegarse de aquel perro asqueroso; una escena imaginaria que Brando no podría dejar de reproducir en su mente en los meses siguientes, incluso cuando se hallaba en situaciones y lugares donde realmente era inoportuno que la verga se le pusiera así de dura al recordar la escena: en la escuela, por ejemplo, donde nomás bastaba con que una de sus compañeras se agachara para recoger un lápiz del suelo para que Brando se imaginara así mismo convertido en el perrazo negro que saltaba sobre la compañera y le arrancaba los calzones a mordidas y la sometía contra el suelo para clavarle su cruel e inhumana verga negra. A veces se despertaba a medianoche y trataba de masturbarse para aplacar el recuerdo del video, pero como las imágenes mentales no bastaban y a esa hora era imposible reproducirlo en la sala, con su madre durmiendo en el otro cuarto con la puerta abierta, Brando se escabullía al patio de su casa, trepaba a la azotea y descendía a la calle usando las protecciones de la casa vecina como escalerilla, y se ponía a vagar por las calles vacías del pueblo, buscando las señales propicias

—los ladridos ahogados, los gemidos queditos— que lo conducían al sitio en donde se celebraba aquel ritual cíclico, primigenio: en el callejón detrás de la tienda de don Roque, o entre los arriates del parque frente a la iglesia, o al fondo de los terrenos baldíos que se extendían a las afueras del pueblo, los lugares donde las sombras escurridizas de los perros sin dueño se congregaban para fornicar en sagrado silencio, con las lenguas de fuèra y los sexos henchidos y los colmillos pelados que exigían respeto a una jerarquía impuesta por el deseo jadeante de la perra. ¿Cómo hacía ella para elegir al primero? Porque para Brando todos eran igualmente bellos, libres y bellos y seguros de sí mismos como él no lo era ni lo sería nunca. Los contemplaba a distancia prudente para no asustarlos ni provocarlos, y ayudado de su mano derecha, participaba de lejos en la orgía y derramaba sobre la tierra hasta la última gota de aquel veneno que le quemaba las venas, para luego regresar a casa y meterse en la cama, arrullado por el sopor paralizante del vacío divino, la calma que le invadía cuando al fin conseguía deshacerse de la ponzoña que le llenaba los huevos. Tal vez aquella era la prueba, la demostración irrefutable de que sí llevaba al diablo metido en el cuerpo, aunque nunca lograra detectar las marcas que supuestamente, según el padre Casto, aparecían en el rostro de todo endemoniado, por mucho que las buscara en el reflejo del espejo, cuando de noche y a oscuras, parado frente al lavamanos, miraba largamente su reflejo sin encontrar la menor presencia de lo satánico, lo demoniaco, solo su cara ojerosa y mofletuda, la mirada torva de siempre, la imagen banal de lo cotidiano. Le hubiera gustado descubrir un brillo maligno en sus ojos, un resplandor colorado al fondo de sus pupilas, o el asomo de una cornamenta sobre su frente, o la súbita aparición de colmillos, de algo, lo que fuera, carajo, cualquier cosa menos esa cara ridícula, de mocoso cada vez más ñengo y demacrado, en parte por las escapadas nocturnas, cada vez más frecuentes, y en parte también por la cantidad ingente de mariguana que más o menos por esa misma época empezó a fumar habitualmente, ya no solo cuando iba a la tienda de Willy los sábados, sino también en su propia casa, antes de masturbarse, y también con los vagos en el parque, con el Willy, el Gatarrata, el Mutante, el Luismi y otros batos con quienes ahora pasaba las tardes después de la escuela, bebiendo aguardiente y fumando mota y a veces inhalando pegamento, o cocaína, cuando tenían dinero y el Munra accedía a llevarlos con los Pablo, allá en el barrio de La Zanja, ya casi llegando a Matacocuite, donde compraban una coca barata y en exceso rebajada que Brando prefería fumar, antes que desgarrarse por dentro las narices, en la punta de un cigarrillo de tabaco o de mariguana. A Brando le encantaba el sabor a plástico fundido de aquel vapor dulzón que le llenaba los pulmones y le entumía agradablemente los sentidos, pero ya se había dado cuenta de que cuando estaba bien al punto de coca no podía venirse, ni siquiera mirando el clip de la muchacha y el perro. Podía pasarse horas enteras jalándose la verga mientras que en la pantalla transcurría aquella persecución fingida entre el animal y la chica, la preciosa muchacha pecosa con cara de niño y su raja sonrosada que no se parecía a ningún coño que él hubiera visto en vivo, a ninguno de los dos coños que, a sus quince, dieciséis años, había logrado penetrar, aunque sin venirse. Por culpa de las drogas, por supuesto, de la coca, sobre todo la coca, que le adormecía la mente y el cuerpo, y por culpa también de esos pendejos que se reían a sus espaldas, y, sobre todo, por culpa de la pinche vieja culera esa, a la que apenas tuvo chance de metérsela, porque esa madre nomás no se le paraba, qué vergüenza, pero todo fue culpa de la coca y el alcohol y el desvelo de esa mañana, la primera vez que se amaneció cotorreando con la banda de amigos; la primera vez que Brando desobedeció las órdenes de su madre y las admoniciones del padre Casto acerca de la naturaleza pagana y perdularia del carnaval de Villa, una fiesta que no era otra cosa más que un aquelarre desenfrenado que inducía a los jóvenes del pueblo a la fornicación y al vicio. Brando estaba harto de pasarse encerrado esos días con su madre, nomás escuchando a lo lejos la música de los desfiles, y el jolgorio de los que pasaban la noche entera bebiendo y bailando en la calle, y el estruendo de los petardos y de las botellas rotas en las broncas de madrugada, y el llanto interrumpido por el vómito de los borrachos perdidos, y el estribillo pegajoso de los juegos mecánicos que se instalaban cada año junto a la iglesia, monstruos metálicos que Brando solo tenía ocasión de contemplar cuando ya estaban desmontados sobre el asfalto, sus focos y sus neones opacos a la luz del día, la mañana del Miércoles de Ceniza cuando su madre lo obligaba a encaminarla a misa por las calles aún atestadas de basura, de latas de cerveza, de botellas de aguardiente vacías, y familias enteras de campesinos harapientos roncando sobre los arriates del parque y las aceras cubiertas de confeti, y Brando siempre se preguntaba cómo era posible que toda esa excitación que recorría al pueblo en los días previos al carnaval, todo ese oropel y esas luces de artificio, terminaran en aquel muladar apocalíptico de trogloditas desmayados sobre charcos de vómito, hasta ese año en que Brando cumplió dieciséis años y decidió largarse a carnavalear sin importarle que su madre llorara y lo llamara crápula y libertino y amenazara con acusarlo con su padre, una idea tan ridícula que Brando no pudo aguantarse las carcajadas, porque hacía años ya que el padre ni siquiera contaba como autoridad en esa casa; porque hacía años ya que el bato ni siquiera se dignaba a echarles una llamada, y mucho menos aparecerse en el pueblo, y además porque parecía que la madre de Brando era la única persona en toda Villagarbosa que no sabía que el padre ya tenía otra casa allá en Palogacho, otra familia con otra vieja e hijos pequeños, y que nomás era por lástima que el bato seguía mandándoles dinero, para que no se murieran de hambre, mientras la pendeja de su madre se la pasaba ahí metida en la iglesia, tratando de negar lo que sucedía, pensando que con rezos y con plegarias las cosas iban a resolverse solas, por intervención divina; que Brando volvería a ser el niño dócil y callado, casi autístico, que algún día había sido, el pendejito sumiso que la llevaba del brazo por la calle, como si fuera su diminuto marido, mientras los vagos del parque se reían a lo lejos de ellos, y gritaban: Brandi, el hijo de mami, ¿todavía te limpia el culo tu mami, Brandi? ¿Todavía te baña, y te pone tu talquito y te jala tu pitito para que duermas con los angelitos? ¿Cuándo vas a dejar de ser un pinche chamaco putito, Brando? ¿No te da vergüenza seguir haciéndote la puñeta? ¿No habérsela metido nunca a una vieja? Ahí está tu oportunidad, loco, le dijeron esos cabrones; métesela, métesela en caliente, antes de que se despierte, la noche que salió a carnavalear con ellos a su primer desfile; o más bien la mañana de la primera noche que salió con ellos, porque Brando nunca antes se había amanecido con sus amigos, y esa fue la primera vez que pasó la noche entera en su compañía, vagando por las calles del pueblo transformadas por el bullicio de las diferentes músicas que tronaban al mismo tiempo desde los altavoces de los carros alegóricos. Los ojos de Brando se deslizaban, ebrios y dilatados, por la piel desnuda de las edecanes, por los rostros anónimos de la multitud reunida sobre las aceras, por las máscaras grotescas de los niños que surgían de pronto para reventar sus huevos rellenos de harina y confeti contra las cabezas de los adultos distraídos; el aire ahumado de febrero olía a espuma de cerveza, a grasa fundida de los puestos de tacos, a deliciosa

fritanga, a caños y a basura, a los orines y las heces despa-
rramados en las banquetas y al sudor de los cuerpos que se
apiñaban en torno al suyo. La plaza de Villa estaba llena
también de policías traídos de la Capital expresamente
para contener, aunque sin mucho éxito, a la turba que se
arremolinaba alrededor del trono de la reina, una niña
apenas, envuelta en tules y brocados como una princesa
de otro siglo; una nena de mirada perdida y sonrisa im-
postada que sacudía sus gráciles miembros al ritmo sinco-
pado que tronaba desde la pared de bocinas a su espalda:
A ella le gusta la gasolina, con una mano en la cintura y otra
sujetando su corona, *dale más gasolina,* y aquella mirada
vacía, casi espantada, *cómo le encanta la gasolina,* por las
obscenidades que los ebrios a sus pies le gritaban con algo
más parecido al hambre que a la lujuria, *dale más gasolina,*
dispuestos tal vez a devorarla, a clavar sus dientes en aquella carne suave, pegada al hueso casi, si acaso los policías
permitían que la reina quedara a su alcance. Y Brando
nunca se había reído tanto en toda su vida, al grado de
verter lágrimas histéricas y de tener que sujetarse de las
paredes y de sus amigos para no caer al piso, con el cerebro arrebolado por la mota y la cerveza y el vientre adolorido de tanto carcajearse del espectáculo que ofrecían
las locas, la legión de maricas, vestidas y travoltas venidas
de todos los rincones de la república nomás a desatarse al
famoso carnaval de Villagarbosa, a jotear libremente en
las calles del pueblo embutidas en apretadas mallas de *ba-
llerina,* disfrazadas de hadas con alas de mariposa, de sen-
suales enfermeras de la Cruz Roja, de porristas y gimnas-
tas musculosas, policías manfloras y gatúbelas ventrudas
con botas de tacón de aguja; locas bien locas vestidas de
novia persiguiendo a los muchachos por los callejones;
locas bufonescas con nalgas y tetas gargantuescas tratando
de besar a los rancheros en la boca; locas empolvadas
como geishas, con antenas de alienígenas y garrotes ca-

vernícolas, locas capuchinas y escocesas; locas disfrazadas de batos bien machines, tan hombres como cualquiera, hasta que se alzaban los lentes oscuros y les notabas la depilada de ceja, los párpados espolvoreados con brillantina de colores, la mirada braguetera; locas que pagaban las cervezas si bailabas con ellas; locas que se peleaban a puñetazo limpio por tus favores, que se arrancaban las pelucas y las tiaras y rodaban por el suelo entre alaridos, dejando sangre y lentejuelas regadas mientras la turba reía. Total que en aquel desmadre demencial, Brando no supo cómo el tiempo pasó tan rápido, pero cuando se vino a dar cuenta ya hacía rato que había amanecido y sus amigos insistían en que debían comprar coca para seguir la fiesta, que Munra los llevaría a la Zanja a comprar perico, y de pronto Brando ya estaba montado en la camioneta de Munra, mirando cómo el pinche cojo daba bandazos sobre la carretera en dirección a Matacocuite, y en realidad todo fue culpa de tanta mota y tanto chupe y tanto bullicio, porque Brando tampoco supo a qué hora fue que la vieja del vestido verde se unió a la bola, a qué hora se había subido con ellos a la camioneta. Nadie la conocía, nadie sabía su nombre, pero a ella no parecía importarle; estaba pedísima y bastante aturdida y al parecer muy caliente porque extendía sus manos torpes en todas direcciones, tratando de agarrarle la verga a sus amigos. El Willy fue el primero que se animó a desnudarla: le sacó las tetas del vestido y empezó a tirar de sus pezones con rudeza, como queriendo sacarles leche o algo parecido, pero a la vieja aquello le encantó y comenzó a lanzar gemidos y a pedir que se la cogieran, que se la cogieran todos, ahí mismo en el asiento de la camioneta, y eso fue justo lo que esos cabrones hicieron: se la cogieron todos, primero el Willy, pinche gandaya, y luego el Mutante y el Gatarrata y la Borrega y el Canito, todos menos el Munra, que estaba manejando y lo veía todo por el espejo retrovisor con mala cara porque le iban a manchar los asientos de mecos, pinches marranos; todos menos Luismi, también, que por pendejo y pastillo se había quedado dormido con la cabeza pegada al cristal de la ventanilla, en el asiento delantero, mientras Brando miraba la escena con una mezcla de fascinación y de espanto. El olor que despedía el coño gris y peludo de la vieja le revolvió el estómago. ¿Así era como olían las partes de la mujer? ¿Así olería también la delicada raja de la muchacha del video del perro? ¡Carajo! Prefirió entonces volver la cabeza hacia la ventanilla, mirar el cielo azul pálido sobre los carrizales, pero después de un rato sus amigos comenzaron a llamarle: Brandi, oh, Brandi, solo faltas tú, Brandi; métesela de una vez, loco, métesela en caliente, gritaba el Willy, antes de que se despierte, porque la vieja culera aquella se había desmayado o sufrido una sobredosis de verga, o quién sabe qué pasaba pero todos reían y gritaban: métesela, pinche Brando, métesela en caliente, y Brando, de muy mala gana pero incapaz de negarse, se pasó al asiento trasero y se buscó la verga dentro de la bragueta, sin bajarse los pantalones porque ni de loco iba a dejar su culo al descubierto en frente de esos pinches degenerados, y se hincó entre las piernas alzadas de la mujer y rogó, con toda la fe que ya ni tenía, que la verga se le pusiera aunque fuera tantito dura, de menos para poder hacerle a la mamada de que se la estaba cogiendo, y así no quedar en ridículo frente a sus amigos, y ya casi lo estaba logrando, con los ojos cerrados y pensando en su chica, en su perro, y tirando disimuladamente del pellejo con los dedos de la mano derecha mientras conseguía meter la punta de su miembro en aquel agujero viscoso, cuando de pronto sintió que un chisguete cálido le mojaba el vientre. Bajó la mirada y vio cómo la bragueta de sus pantalones y el borde de su playera se oscurecían súbitamente, y lanzó un grito de asco, y cayó de espaldas contra la puerta corrediza de la camioneta, y todos los presentes se quedaron mudos un segundo, y luego prorrumpieron en carcajadas salvajes y aullidos mientras señalaban la entrepierna de Brando y el chisguete de orina que la vieja cerda aún seguía soltando. ¡Lo orinó!, gritaron, los culeros. ¡Lo orinó mientras se la estaba cogiendo! ¡Pinche cerda asquerosa, pinche marrana de mierda! Nadie detuvo a Brando cuando este se lanzó hacia la mujer y le asestó un buen puñetazo en la cara; todos estaban demasiado ocupados riendo. Así que fue una suerte que en aquel momento el Munra detuviera la camioneta, a cincuenta metros del conecte de los Pablo, y se pusiera a rezongar por el olor a meados y exigiera que dejaran a la vieja ahí a un lado de la carretera, porque de no haber sido así Brando la hubiera seguido golpeando, hasta sumirle la cara y tumbarle los putos dientes y tal vez hasta matarla, por haberle ensuciado la verga y la ropa con sus asquerosos meados, pero sobre todo por haberlo dejado en ridículo frente a la banda, frente a esos cabrones castrosos que todavía años después del incidente seguirían cagándose de la risa de Brando, y Brando aguantaba vara porque sabía que ellos lo castrarían aún más si él llegaba siquiera a insinuarles que sus mofas le encabronaban, y tal vez por eso, para distraerlos, para que el incidente se les olvidara, aunque también porque después de tantos años de hacerse chaquetas a diario ya estaba aburrido de sus manos, fue que Brando se hizo amante de la Leticia, esa negrita nalgona, unos diez años mayor que él, que le tiraba el perro cada vez que se topaban en la tienda de don Roque. Leticia estaba casada con un petrolero que iba y venía a diario de Palogacho; todo el día estaba sola y se aburría horrores, o al menos eso era lo que le contaba a todo el que quisiera escucharla cuando iba a comprar cigarros. Brando no hablaba con ella; ignoraba las miradas que la mujer le dirigía cuando acudía a la tienda, pues casi siempre estaba demasiado ocupado tratando de derrotar a algún mocoso del barrio en la maquinita de videojuegos que don Roque tenía en la acera. No hablaba con ella pero sí le miraba el trasero, descaradamente y sin disimulo, y ella se daba cuenta porque incluso exageraba el sandungeo de sus nalgas rotundas, nalgas que parecían haber venido a este mundo para ser azotadas, mordidas, castigadas. Un día le guiñó un ojo y le hizo señas, enfrente de los idiotas del parque, y a Brando no le quedó de otra más que seguirla hasta su casa. Perro con suerte, le dijeron, cuando él volvió para contarles cómo la vieja abrió la puerta y lo invitó a pasar y cómo enseguida, sin decirle apenas nada, se alzó la falda por detrás para mostrarle que no llevaba calzones debajo. Se la había cogido ahí mismo, les contó, primero de pie en el recibidor de la casa, y luego contra el respaldo del sillón de la sala, y más tarde con ella asomada por la ventana del segundo piso, espiando por entre las cortinas porque no fuera a ser que de casualidad aquel día su marido llegara del trabajo temprano. La pendeja se negaba a coger en la cama en donde dormía con el marido. Se negaba también a mamarle la verga a Brando; decía que no le gustaba, que le daba asco el olor del semen. A mí me da asco el hedor de tu coño, pensaba el chico, pero nunca le decía nada. Sentía un gran placer al limar a la negra, siempre por detrás o a cuatro patas sobre los sillones de la sala. Ella le rogaba, entre gemidos, que le tirara del cabello, que le estrujara las nalgas, que se las separara para que pudiera penetrarla más profundamente, que le metiera la verga por el culo y la bombeara. El único problema era que Brando no podía venirse. Pero eso no se lo contaba a sus amigos, por supuesto. La propia Leticia no se había dado cuenta, o tal vez a la muy perra ni siquiera le importaba: ella estaba feliz con que Brando fuera a verla y le metiera la verga y la hiciera llegar al orgasmo. Decía que era el mejor amante que había tenido, el más generoso, el que más duraba; se venía novecientas veces mientras Brando pujaba detrás de ella, cada vez más cansado y sudoroso, cada vez más harto. El placer que sentía cuando recién la penetraba se iba transformando poco a poco en repugnancia mientras el hedor de Leticia cobraba fuerza con cada orgasmo y se le metía a Brando en la narices y le provocaba arcadas. No importaba que cerrara los ojos y pensara en la chica del perro, en su raja de niña, aquel coñito delicado e inofensivo que seguramente sabría a miel de frambuesa: la picante realidad de la panocha de Leticia y su olor a drenaje de pescadería terminaban por desinflarle la verga, y entonces él debía fingir que se venía. Se retiraba de ella y a toda prisa se encerraba en el baño, y se quitaba el hule seboso pero vacío y lo arrojaba al excusado, y procedía a lavarse las manos, la verga, los testículos y toda la piel que había entrado en contacto con el coño de Leticia, y aun así había veces que llegaba a su casa y debía ducharse varias veces porque le parecía que la peste lo había seguido. Pero a la banda del parque no les contaba eso. A la banda del parque les describía con lujo de detalle la sensación de aquellas nalgas prietas golpeando su bajo vientre mientras él las embestía. Y a menudo les contaba escenas que nunca ocurrían, como, por ejemplo, cuando describía la supuesta manera en que Leticia le mamaba la verga, o de cómo ella le rogaba que eyaculara sobre su cara y sus pechos, escenas que más bien sacaba de las películas porno que había visto. No les decía tampoco que a menudo sentía deseos de mandar a la negra a la chingada; de no volver nunca a su casa ni cogérsela de nuevo, pero lo cierto es que la necesitaba; necesitaba la realidad de sus nalgas bamboleantes, de sus gemidos melindrosos y su coño apretado pero infecto para seguirle contando historias a sus amigos, para entretenerlos con aquellos cuentos cochinos y que por fin dejaran de castrarlo con la puta cerda que le orinó la verga. Porque ellos aún lo molestaban con aquella anécdota, malditos sean; ellos, carajo, que se cogían a todo lo que se moviera y que incluso transaban con las locas a cambio de dinero, dinero para comprar alcohol y drogas pero a veces también por puro desmadre, por el gusto de cogerse a los putos que bajaban en oleadas a Villa durante las fiestas carnestolendas. Algo que a Brando le pareció, al principio, monstruoso y denigrante pero a lo que terminó por acostumbrarse, una vez que se vio implicado en la lógica irrefutable de los argumentos de la banda: Loco, no me digas que nunca te ha mamado el picho un choto, decía el Willy, con la quijada trabada por la coca. No sabes de lo que te pierdes, loco, continuaba la Borrega; te hacen una chambota y encima te dan varo y te invitan la peda. Tú nomas cierra los ojos, decía el Mutante, y piensa en cualquier pinche vieja y disfruta la mamada, coño. ¿De verdad nunca te has culeado a un choto?, preguntaban, con sonrisas burlonas. ¿A un chotito tierno y apretadito que hasta gime como perrito cuando se hinca para chuparte los huevos? Los muy cabrones siempre encontraban la manera de revirarle los castres a Brando; si él trataba de burlarse de ellos y hacerlos ver como unos putos maricones por andar de mayates, sus amigos siempre terminaban haciéndolo ver a él como un pobre pendejo inexperto, chingada madre. ¡Y un pobre pendejo al que una puta culera le había orinado la verga! ¡Carajo! Pero no todo era miel sobre hojuelas con los pinches chotos, y Brando se daba cuenta. La mayor parte de los putos con los que el Willy y los demás (¡hasta el pinche Luismi, quién lo diría!) se revolcaban era una bola de rucos panzones y amanerados que bajaban a las cantinas de Villa de jueves a sábado, en busca de carne joven y reata fresca. Rucos feos y medio chiflados, como la tal Bruja esa, carajo; la vestida de La Matosa que se la vivía encerrada en aquella casa siniestra en medio de los cañaverales y que a Brando le ponía los pelos de punta por un iris bien loco que no tenía nada que ver con las transas sino con algo que le decían de niño, cuando jugaba en la calle y su madre a huevo quería que se metiera a la casa pero él no quería, y entonces la madre le decía que si no entraba inmediatamente la bruja vendría a llevárselo, y un día, ¡carajo, casualidades de la vida!, de pura chiripa iba pasando por la calle la loca esa que de vez en cuando se aparecía en Villa toda vestida de negro, con aquel velo que le cubría el rostro por completo, y a la que apodaban la Bruja, y su madre la señaló y le dijo a Brando: ¿ya viste? Ahí viene la bruja para llevarte, y Brando alzó la mirada y se topó de frente con aquel espectro esperpéntico, y salió corriendo como pedo para dentro de su casa, a esconderse debajo de la cama, y pasó un chingo de tiempo antes de que el pobre se atreviera a jugar en la calle de nuevo, tan grande fue el miedo que la Bruja le produjo; un miedo que, con el tiempo, logró enterrar en el traspatio de su memoria pero que resurgía cada vez que tenía que agarrar la loquera con sus amigos en la casa de ese maricón de mierda. Porque la Bruja siempre estaba invitando las chelas y el alcohol, y a veces hasta las drogas, con tal de que la banda se quedara en su casa, de donde ella casi nunca salía. Una casota que se alzaba en medio de los cañales de La Matosa, justo detrás del complejo del Ingenio, una construcción tan fea y repelente que a Brando le parecía el caparazón de una tortuga muerta mal sepultada en la tierra; una cosa gris y sombría a la que entrabas por una puertecita que daba a una cocina cochambrosa, y después avanzabas por un pasillo hasta llegar a un salón muy grande, lleno de puros triques y bolsas de basura, con unas escaleras que subían hacia el segundo piso, a donde nadie nunca pasaba porque el choto se emputaba si veía que ibas para arriba, y justo debajo de las escaleras había una especie de sótano en donde la Bruja hacía las fiestas; una sala con sillones y bocinas y hasta luces de colores como las de los sonideros de los bailes de Matacocuite, bien pinche loco el asunto porque luego de recibirlos e instalarlos en aquella especie de mazmorra el pinche maricón se desaparecía y regresaba sin el velo y todo maquillado de fantasía y hasta se ponía pelucas de colores con brillitos, y ya cuando todos estaban al punto, cuando ya todos estaban bien borrachos o bien puestos con la mariguana que la Bruja sembraba en su huerta, y los hongos esos que crecían debajo de las boñigas de las vacas en la temporada de lluvias, y que el puto recogía y conservaba en almíbar para poner bien locos a los muchachos que la visitaban, bien insanos y bien debrayados, con las pupilas como de caricatura japonesa y las bocas abiertas a causa de todas las cosas que alucinaban —que las paredes se derretían, que las caras se les llenaban de tatuajes, que a la Bruja le salían cuernos y alas, y la piel se le volvía roja y los ojos amarillos—, entonces la música comenzaba a brotar de las bocinas y el choto se paraba en aquella especie de escenario que había montado al fondo del cuarto, rodeado de reflectores, y comenzaba a cantar, o más bien a lanzar berridos con esa voz culera que nunca conseguía alcanzar las notas altas de aquellas canciones que Brando bien conocía, porque eran las mismas rolas que a su madre le gustaba escuchar mientras hacía el quehacer; las que transmitían en la estación de música romántica del pueblo, rolas más bien tristes que decían cosas como: *y la verdad es que estoy loca ya por ti, que tengo miedo de perderte alguna vez*; o: *seré tu amante o lo que tenga que ser, seré lo que me pidas tú*; o: *detrás de mi ventana, se me va la vida, contigo pero sola*, y hasta hacía gestos cuando las cantaba, pinche Bruja, con el micrófono en la mano y la mirada perdida en el vacío, como si la cabrona estuviera en un escenario de verdad, en un estadio, rodeada de admiradores, y sonreía y a veces parecía que se echaría a llorar y Brando no podía creer cómo todos sus amigos, y también los otros güeyes que llegaban solos por su lado, muchachos de las rancherías cercanas sobre todo, aunque también uno que otro ruco medio afeminado salido de quién sabe dónde, se quedaban todos como pendejos mirándola, como extasiados, o tal vez asustados, pero nadie nunca se atrevía a chiflarle al puto, ni a gritarle que se callara el pinche hocico, que cantaba bien culero; y la verdad es que a Brando nunca le gustó ir a esa pinche casa, porque cuando andaba bien puesto de coca y todo acelerado lo que menos quería era encerrarse dentro de aquel caparazón tétrico a escuchar la misma pinche música culera que su madre escuchaba, y se ponía bien paranoico y se le figuraba que todos los que estaban ahí reunidos querían ponerlo bien loco para aprovecharse de él, para violarlo, si acaso llegaba a cerrar los ojos o a quedarse dormido, como a muchos les pasaba después de tomarse las pastillas esas que la Bruja repartía como si fueran caramelos, y que los ponían bien zonzos a todos, bien idiotas, pura risa y risa con los ojos casi cerrados, y una vez el puto había insistido tanto en que Brando se metiera una de esas pastillas de mierda que el Brando había tenido que fingir que lo hacía, que se tragaba la pastilla pero luego enseguida la había escupido y metido en la orilla del sillón en donde estaba sentado, y ahí se quedó nada más viendo cómo todos se iban derritiendo sobre los asientos y cayendo al piso, tan idiotizados que ya ni podían aplaudirle a la loca de mierda que se zangoloteaba bajo las luces de colores del escenario como una horrible y gigantesca muñeca de cuerda, un maniquí de pesadilla que de pronto hubiera cobrado vida. Pero lo más cabrón vino después, cuando el choto se cansó de ladrar sus canciones culeras y el que se paró a cantar al micrófono fue el pinche Luismi, y sin que nadie le dijera nada, sin que nadie lo obligara a hacerlo, como si el bato hubiera estado esperando toda la noche aquel momento para tomar el micrófono y comenzar a cantar con los ojos entrecerrados y la voz algo ronca por tanto aguardiente y tantos cigarros, pero aún a pesar de eso, no mames, pinche Luismi, ¿quién iba a decir que ese güey podía cantar tan chido? ¿Cómo era posible que ese pinche flaco cara de rata, hasta el huevo de pastillo, tuviera una voz tan hermosa, tan profunda, tan impresionantemente joven y al mismo tiempo masculina? Hasta entonces Brando no tenía idea de que a Luismi lo apodaban así por el parecido que tenía su voz con la del cantante Luis Miguel; él había pensado que el apodo era más bien una parodia cruel del aspecto del muchacho, que con sus pelos chinos, quemados por el sol, sus dientes chuecos y su cuerpo escuálido era todo lo contrario al apuesto y famoso cantante. *No sé tú*, cantaba el bato, *pero yo no dejo de pensar, con aquella voz* que era límpida como el cristal, *ni un minuto me logro despojar,* trémula como una cuerda vibrando, *de tus besos, tus abrazos, de lo bien que la pasamos la otra vez,* y a Brando se le hizo un nudo en la garganta, y la piel se le puso de gallina, y por un momento, al sentir una especie de calambre en las tripas, pensó que tal vez no había logrado escupir a tiempo la pastilla, que todo aquello era una alucinación, una extraña pesadilla, un maldebraye causado por todo ese aguardiente barato que se metieron, por haber fumado tanta mota y pasar tantas horas encerrado en aquella casa horrible con aquella loca de miedo. Nunca le dijo a nadie lo mucho que la voz de Luismi lo había conmovido; y hubiera muerto antes de aceptar que la verdadera razón por la que seguía yendo a las fiestas de la Bruja era para escuchar a Luismi cantar. Porque la verdad era que después de varios años de frecuentar ese rumbo, a Brando todavía se le erizaban los vellos de la nuca cuando tenía que hablar con la loca de mierda: con lo fea y rara que era, con esa forma tan extraña y rígida que tenía de mover sus miembros flacos, como una marioneta sin cuerdas a la que de pronto hubieran insuflado vida; y si por él hubiera sido, jamás le habría dirigido la palabra; él solo iba a esa casa para acompañar a la banda, aunque en una ocasión sí tuvo que dejarse chupar la verga por la Bruja, ahí mismo en uno de los sillones del sótano, y mientras Luismi cantaba, para acabarla de joder, porque si no se dejaba el puto maricón de cagada lo habría corrido del cotorreo y a Brando no le apetecía regresar solo a Villa caminando entre los cañaverales a esas horas de la madrugada, así que llegado el momento, *no sé tú*, se había sacado la verga, *pero yo quisiera repetir,* y había dejado que el puto se la mamara, *el cansancio que me hiciste sentir,* y había cerrado los ojos y escuchado el canto de Luismi, *con la noche que me diste,* pero él jamás metió las manos, *y el momento que con besos construiste,* y nomás hizo como la Borrega y el Mutante decían, que uno nomás debía cerrar los ojos y pensar en otra cosa mientras la lengua aquella envolvía su miembro, y nunca, nunca, nunca permitió que el choto ese le tocara la cara ni que le diera un beso; porque una cosa era dejarse querer por los putos, dejarse invitar unos tragos y una chela y ganarse un quinientón por soportar sus puterías, o incluso por cogérselos un rato por el culo o por la boca, y otra cosa era ser un puerco asqueroso como el pinche Luismi cuando se besuqueaba y se fajaba con la Bruja. Quién sabe por qué le daba tanta tirria a Brando ver eso; ni siquiera el espectáculo del marrano cacarizo del Mutante culeándose a la loca le parecía tan espantoso. Tal vez porque en el fondo todo eso de besarse con los gansos le parecía algo asqueroso, un atentado innoble a su hombría, y cómo era posible que el Luismi se atreviera a besar a la loca esa frente a todos, si Brando siempre había pensado que Luismi era un bato bien derecho, bien machín y bien chido; un bato que a pesar de ser apenas uno o dos años mayor que Brando ya hacía lo que le daba su rechingada gana y no le rendía cuentas a nadie, mucho menos a una madre histérica y mocha que todos los días lloraba y se daba golpes de pecho al verlo llegar ebrio a la casa. Luismi se metía lo que quería, y hacía lo que le daba la gana, y nadie se burlaba de él porque una puta cerda le orinó la verga en una parranda. Nadie se metía con Luismi y Brando envidiaba eso, aunque no tardara en darse cuenta, en la época en que comenzó a frecuentar las cantinas de la carretera con sus amigos, a la caza de locas y gansos, que en realidad el Luismi tenía una sombra que lo perseguía a todos lados: su prima la Lagarta, una vieja fea y flaca y hocicona que a menudo entraba a los antros hecha una furia para sacarlo de las greñas después de haberlo cacheteado frente a todo el mundo. Nadie entendía qué le pasaba a la vieja loca esa, ni por qué parecía odiar tanto a Luismi; él nomás se reía con tristeza cuando la banda lo castraba con su prima, pero nunca decía nada. El chisme era que la prima lo espiaba porque quería cacharlo haciendo puterías; que estaba obsesionada con hacer que la abuela del chamaco lo desheredara. Y Luismi tenía cara de pendejo, pero no lo era tanto, porque siempre lograba escabullírsele a la Lagarta para transar con los chotos sin que aquella lo cachara, hasta esa noche en que la prima loca se apareció en casa de la Bruja; la noche que Brando, de pura casualidad, se había salido a fumar un bazuco al patio, debajo de un tamarindo tupido que había junto a la puerta de la cocina. Se había salido a fumar al patio porque las vibras de la fiesta se habían tornado demasiado ríspidas para sus nervios, y llegó un punto en el que ya no pudo soportar los berridos de la Bruja al micrófono ni los chirridos de los sintetizadores de sus canciones de mierda ni el resplandor de las luces de colores, y salió al patio para estar un momento a solas y fumar su bazuco en silencio mientras contemplaba la noche con las pupilas dilatadas, sin otra compañía que el canto de los insectos y el silbido del viento raudo que atravesaba la llanura, el viento necio y ojete que pretendía arrancarle la brasa donde la coca espolvoreada se fundía con las greñas de mota atrapadas en el papel del cigarrillo, y cuyos vapores le producían un subidón delicioso. Tal vez fue la coca la que hizo que su visión se tornara más aguda, o tal vez era que sus pupilas se habían acostumbrado a la oscuridad del patio, pero justo después de arrojar la bacha encendida hacia las profundidades susurrantes del cañal, Brando percibió una figura que se acercaba hacia él desde la vereda, una sombra escuálida que avanzaba, silenciosa y encorvada, por el camino de arena, y al entornar los ojos reconoció enseguida quién era: la prima de Luismi, la tipa aquella a la que apodaban Lagarta. Ella no lo había visto aún, seguramente porque las ramas del tamarindo lo encubrían, o tal vez porque el foco que colgaba encima de la puerta de la cocina la deslumbraba igual que a las carcomas gigantes que volaban enloquecidas en torno a la bombilla, pero el caso es que Brando, por pura maldad repentina, se aguantó las ganas de hablarle a la mujer hasta que la tuvo bien cerquita, y justo cuando ella estaba a punto de tocar la reja para abrirla, le espetó, con su voz más grave y siniestra: ¿A dónde?, y la vieja soltó un grito de pajarraco herido y puso tal cara de espanto que Brando se dobló de risa. Seguramente se había zurrado en los calzones del susto, la pendeja aquella, porque no dejó de mirar hacia el tamarindo con cara de pavor absoluto hasta que Brando salió de entre las ramas y la luz del foco iluminó su cara burlona. Solo entonces Lagarta pareció reconocerlo, aunque nunca nadie los había presentado. ¿Qué tienes en la cabeza, chamaco idiota?, graznó ella, la voz aún ahogada por el susto, o por el coraje. Por poco me da un infarto, pendejo, y Brando no pudo evitar carcajearse de nuevo. La mujer le dio la espalda y jaló la reja de la cocina, y Brando tuvo que dar un paso al frente para detenerla. ¿A dónde?, volvió a decirle. Ella se quitó su mano del hombro con un tirón violento y le enseñó los dientes: A ti qué verga te importa, chamaco pendejo, y Brando, sin perder la calma, con una especie de cólera fría, le sonrió con labios tensos y alzó las manos y le mostró las palmas: pues sí, tienes razón, yo aquí no soy nadie, le dijo; pásale nomás, pero luego no salgas chillando... Ella lo miró con odio y entró a la casa, pero antes de perderse en las sombras de la cocina, se volvió un instante para decirle: eres el diablo, pinche escuincle. Brando no quiso seguirla; permaneció ahí junto a la puerta, aferrado a los barrotes con las dos manos porque de pronto se había sentido mareado y el corazón le golpeaba el pecho con fuerza, seguramente por culpa del bazuco, ¿verdad? O tal vez porque en realidad se moría de ganas de ver el escándalo que estaba a punto de armarse ahí dentro, cuando la prima de Luismi lograra entrar al sótano y viera lo que ahí ocurría y se le fuera encima al primo entre gritos y putazos, como cuando lo sorprendía en las cantinas. Pero esa noche Brando se quedó esperando en balde, porque de adentro no salió ningún reclamo, ningún alarido más que los de la Bruja cantando: *tu amante o lo que tenga que ser, seré*, mientras que allá afuera, en el patio, la noche se hacia cada vez más espesa, *lo que me pidas tú*, el cascabeleo de las hojas y las matas vibrando bajo el necio soplo de la surada, *reina, esclava o mujer*, apenas apaciguaba la serenata que los sapos y las cigarras le dedicaban a la luna, *pero déjame volver, volver contigo*... Y cuando menos se lo esperaba, la reja se sacudió con violencia, y la figura de la Lagarta emergió de la oscuridad de la cocina, y lo apartó de un empujón y huyó hacia la vereda, pero no chillando como él le había advertido sino corriendo como si el propio demonio la persiguiera. La música no había dejado de sonar ni un solo segundo, así que Brando decidió entrar y ver qué había ocurrido, pero antes de llegar al pasillo se topó con Luismi. El bato venía sin camisa y tenía la quijada descuadrada por el espanto: no mames, fue lo primero que dijo: creo que vi a mi prima, loco; y Brando, posando una de sus manos sobre el hombro derecho de Luismi, trató de tranquilizarlo: no chingues, loco, no te claves, le dijo; yo estaba afuera y no vi a nadie. Y Luismi, confundido: pero la vi clarito; clarito vi su cara asomándose al cuarto, y Brando, aún sonriente: lo que pasa es que andas bien puesto; seguro te lo imaginaste, loco; yo estaba allá afuera, te digo, y no vi a nadie, y Luismi: pero, pero... Y ya ni pudo decir nada, de los nervios, y esa noche no quiso cantar en el escenario y se dedicó a beber y a beber hasta que perdió la conciencia, y tuvieron que pasar varios días para que Brando se enterara de que Luismi ya no vivía con su abuela y sus primas, sino que se había ido a casa de su madre, con quien no se llevaba nada bien y por eso más bien parecía que se había ido a vivir con la Bruja, porque el bato estaba todo el tiempo ahí metido en su casa, cuando no estaba en las cantinas de la carretera, o en los rumbos de las vías detrás del viejo almacén abandonado de los ferrocarriles de Villa, aunque eso último era puro chisme, la verdad; un chisme bastante grave, por cierto, porque una cosa era ponerte a bombear a los chotos cuando te faltaba dinero para la bolsa de perico, pero eso de irte a meter detrás del almacén abandonado, donde a cualquier hora del día podías ver batos enchufados entre los arbustos, cogiendo y mamando por el puro gusto de ser putos, era algo muy diferente, algo francamente asqueroso porque todo el mundo sabía que ahí en las vías nadie cobraba, y la verdad es que a Brando le entraba una curiosidad morbosísima de un día seguir a Luismi para ver si era cierto que el bato iba a las vías a cogerse de a gratis a los sardos que bajaban del cuartel de Matacocuite, o para ser cogido en bola por ellos como una perra jariosa, pero se contenía porque le daba horror que por andar por esos rumbos lo confundieran a él con un puto, así que solo se lo imaginaba. Y a veces, cuando las locas se llevaban a Brando a los mingitorios de El Metedero para mamarle el picho por dinero, él cerraba los ojos y se imaginaba que la lengua que le acariciaba el glande era la lengua de Luismi, y la verga se le ponía durísima, y el maricón en turno lanzaba suspiros fascinados y lo chupaba con mayor enjundia, y Brando eyaculaba pensando en los ojos de Luismi, en aquella mirada desvergonzada que el bato ponía cuando veía llegar a su ingeniero, el ruco panzón y medio calvo que trabajaba para la Compañía Petrolera y que todos los viernes saliendo del trabajo se aparecía en El Metedero para sentarse con Luismi a beber whisky, y era bien raro verlos chupar juntos, en completo silencio, como esas parejas de años o esos compadres de tiempo atrás que ya no necesitan platicar para acompañarse, el ingeniero todo un señor de camisa impecable de manga larga y esclava de oro sobre la muñeca velluda y el celular de ultima generación metido en la pretina de los pantalones, y el pinche Luismi mirándolo como quinceañera ilusionada, con los pelos revueltos y las patas mugrosas de andar todo el tiempo en chanclas, y de pronto te distraías y cuando volvías a mirarlos ya no los encontrabas, y sabías que se habían largado en la camioneta del ingeniero a coger en descampado o en el interior de una de las habitaciones del motel Paradiso, ahí mismo en la carretera. Una sola vez Brando alcanzó a verlos besándose, en un rincón del patio de El Metedero, fajando en lo oscurito como una parejita de amantes clandestinos, con las bocas bien pegadas y los ojos cerrados y las manos del ingeniero sabroseando el culito del pinche Luismi con la lujuria de quien le agarra las nalgas a una vieja a la que todavía se le tienen un chingo de ganas. ¡Chale, loco!, exclamó al unísono la banda, cuando Brando entró corriendo al antro a contarles lo que acababa de ver: ¡el Luismi es el puto del ingeniero! ¡El Luismi, un pinche choto de mierda, quién iba a decirlo! ¡Chale! Ahora a ver quién se lo chinga primero, se carcajeó la Borrega, y chocaron sus botellas de cerveza y procedieron a especular acerca de cómo sería meterle la verga al Luismi, si acaso tendría el culo apretado o más bien guango, o cómo serían sus mamadas, y Brando, en silencio, se dio permiso de imaginar aquello hasta que el ansia le ahogó el pecho y, ante la falta de chotos ganosos aquella noche, tuvo que salir del antro, sin esperanzas ya de encontrar todavía a Luismi fajando con el ruco, y se jaló la verga con la palma mojada de baba, entre gruñidos culpables mientras se imaginaba cómo sería ensartarse a Luismi por detrás al mismo tiempo que lo chaqueteaba suavecito para que él también pudiera venirse junto con Brando, venirse en cuatro patas como el perro que era, como la perra flaca y mugrosa que era, una perra caliente que meneaba la cola con lujuria cada vez que veía llegar a su ingeniero, su puto ingeniero; porque hasta la Bruja se había dado cuenta de que el Luismi estaba bien clavado con ese ruco, que no paraba nunca de hablar de él y de lo chingón que era y de la chamba que según iba a conseguirle en la Compañía Petrolera; puras chaquetas mentales suyas, porque el Luismi con esfuerzo había terminado la primaria y no sabía hacer otra cosa más que coger y dejarse coger y nadie en su sano juicio le daría trabajo, ni siquiera de barrendero. Y quién sabe quién le había ido con el chisme a la Bruja, pero de repente la pinche loca se empezó a poner bien mamona cuando Luismi iba con ellos, por culpa de los pinches celos, claro, y de plano una noche lo mandó a la verga, días antes del carnaval, porque según ella el Luismi se había chingado un dinero, y Luismi decía que no, que no era cierto, que lo que pasó fue que se había puesto bien loco y alguien más se lo había chingado, o tal vez se le cayó, no estaba seguro, y se pusieron a pelear bien gacho frente a todos, con gritos y reclamos sentidísimos, y la

Bruja de pronto le metió un bofetón a Luismi, y Luismi se le fue encima al puto y lo agarró del cuello y empezó a estrangularlo, hasta que los demás los separaron y la Bruja se quedó llorando en el suelo, pataleando como personaje de caricatura mientras que Luismi huía de la casa, con Brando corriendo detrás de él, siguiéndolo hasta la puerta del Sarajuana, donde al fin logró alcanzarlo y calmarlo pichándole unas chelas con el dinero que le había robado, una parte de los dos mil varos que la loca le había dado a Luismi para que comprara unas grapas de perico para la chaviza que iría a su casa y que necesitaría un aliciente para soportar sus canciones culeras, su música de mierda, su actuación patética y ridícula. Y después, cuando el Sarajuana se quedó vacío por ahí de las tres de la mañana, cuando Luismi tenía la voz ya bien ronca de tanto quejarse de la Bruja y sus chingaderas, salieron del antro y caminaron los quinientos metros que los separaban de la casa de Luismi, la choza mugrienta que el cabrón decía que era su casa y ahí mismo, en el colchón del suelo, se tumbaron juntos y Luismi enseguida se quedó dormido mientras Brando, echado bocarriba, lo escuchaba respirar y se sobaba la verga por encima de la ropa, hasta que el ansia, la maldita ansia de poseerlo, se volvió tan intensa que le obligó a bajarse los pantalones y arrodillarse junto al rostro de Luismi y acercar la punta de su verga a los labios entreabiertos de su amigo, esos labios llenos que el muy puto abrió de pronto para dejarlo entrar en su boca, entrar con todo hasta adentro, hasta el fondo, y venirse al momento de sentir la lengua de Luismi envolviéndole el frenillo, venirse en espasmos tan intensos que incluso le resultaron dolorosos. Aquello era lo último que recordaba de aquella noche; lo último que deseaba recordar porque seguramente se desmayó después de venirse; seguramente la mente se le quedó en blanco después de haber sufrido la intensidad devastadora de aquel primer orgasmo en la boca de Luismi, y por eso fue un terrible shock despertar al día siguiente sobre aquel colchón, con un dolor de cabeza monstruoso y los pantalones enroscados en los tobillos y la mano derecha enredada entre las greñas de Luismi, cuya cabeza descansaba tiernamente sobre el hombro de Brando. Su primer instinto fue apartarse de un salto de Luismi, cuya cabeza rebotó inerte sobre el colchón sin que el cabrón se despertara. Su segunda reacción fue subirse los pantalones y quitar el tablón que servía de puerta y correr hacia la vereda, hacia la carretera, y tomar el primer camión con destino a Villa, rogando que nadie, sobre todo el Munra, el pinche chismoso del Munra, lo hubiera visto saliendo de la casita de Luismi. Y no fue sino hasta que llegó a su casa, y después de haberse duchado para quitarse los restos de semen que apelmazaban los vellos de su entrepierna, mientras yacía desnudo sobre su cama, que se dio cuenta del tremendo error que había cometido: que en vez de haber huido como un puto cobarde lo que tendría que haber hecho era montarse sobre Luismi y aprovechar la indefensión de su sueño para estrangularlo con las manos, o mejor aún, con el cinto de sus pantalones, todo con tal de no pasarse el Carnaval completo encerrado en casa con su madre (para alegría de ella), por miedo a reunirse con sus amigos y que estos, enterados con lujo de detalle de lo que había pasado entre él y Luismi, lo castraran frente al pueblo entero llamándolo choto, puto, maricón, carajo. Todavía se esperó una semana después del Miércoles de Ceniza para aparecerse en el parque, con las manos metidas en los bolsillos y el estómago revuelto por los nervios y los pies calzados en sus tenis *adidas* nuevecitos, para comprobar aliviado que nadie sabía nada, que Luismi no le había contado nada a nadie, tal vez porque el bato estaba puestísimo esa noche y ni siquiera recordaba lo que había pasado entre ellos, las cosas que habían hecho sobre ese colchón hediondo, o por lo menos eso fue lo que Brando pensó hasta que dos semanas más tarde, ya a inicios del mes de marzo, se topó con el famoso ingeniero de Luismi, en un antro que acababan de inaugurar en la carretera, el Caguamarama, y aunque nunca había cruzado palabra con ese güey, el ingeniero sí lo conocía a él de nombre e insistió en invitarle una botella de whisky, y cuando iban a la mitad el ruco le pidió que lo llevara a conectar perico, y Brando lo guió hasta La Zanja, a bordo de la *pickup* del ingeniero, y hasta le hizo el favor de bajarse a conectarle un par de grapas con los Pablo, y luego se fueron a un descampado en donde se metieron esa madre —Brando siempre fumándola en la punta de un cigarrillo, como le gustaba—, y cuando se la terminaron el pinche ruco maricón lanzó un suspiro y se volvió hacia Brando y le pidió, con una sonrisa coqueta, que si por favor se bajaba los pantalones porque tenía ganas de mamarle el culo, y por un segundo Brando se quedó callado porque pensó que no había escuchado bien; pensó que lo que el ingeniero quería era que se bajara los pantalones para mamarle la verga, y ya se estaba llevando las manos al cinturón para destrabarse la hebilla cuando entendió lo que estaba pasando, lo que el ingeniero quería, y con la voz ahogada por el coraje le dijo que se fuera a la verga, que le mamara el culo a su abuela, que a él no le gustaban esas pinche choterías, y el ingeniero se cagó de la risa, con esa risita medio asmática que tenía, y trató de confundirlo con palabras: a ver, ¿cómo sabes que no te gusta que te mamen el culo si nunca nadie te lo ha mamado, muchacho? Y Brando volvió a mandarlo a la verga, esta vez con más rabia, pero el ingeniero no soltaba prenda; seguía de necio con que se animara, que iba a gustarle, ándale, no te hagas del rogar, como si Brando fuera uno de esos putos mustios que nada más necesitan tantito ruego para aflojar las nalgas luego luego, para bajarse los pantalones y ponerse en cuatro sobre el asiento a que el ingeniero le pasara la lengua por el ano y después seguramente se lo trambucara, aprovechando que ya lo tenía ahí puesto. Ándale, te lo hago rico, decía el pinche ruco panzón, y hasta se relamía los bigotitos, y fue la visión de aquella lengua pálida lo que hizo explotar a Brando: vete a la verga, pinche ganso, repitió, abrió la portezuela de la camioneta, y se volvió para bajarse, y el ingeniero nomás se rió y dijo: bien que sabes a qué venías, no te hagas pendejo: si ya Luismi me contó que te pones como loquita cuando te pasan la lengua por el asterisco... Y Brando ya tenía un pie en el suelo cuando escuchó aquello, y en vez de terminar de bajarse del vehículo, regresó al asiento y se acercó al ingeniero y le metió un cabezazo en el rostro y le rompió los lentes contra la jeta, y la nariz también, a juzgar por el crujido que Brando sintió contra la línea de su cabello, y a juzgar también por los chillidos que el puto maricón perfumado aquel empezó a lanzar, pero no quiso quedarse a contemplar el daño que había hecho: saltó de la *pickup* y cruzó en chinga la carretera y se metió al monte y corrió y corrió por el pastizal hasta que sintió que el pecho le quemaba, y solo entonces se detuvo. Él también había sangrado un poco de la frente, pero la herida estaba ya seca cuando regresó al pueblo, y era tan pequeña que nadie notó nada, y ni siquiera su madre le preguntó qué le había pasado. Pinche ruco de mierda; pinche Luismi pendejo, por qué tuvo que salir de hocicón, por qué no pudo guardar el secreto; ¿por qué tuvo que contarle eso al puto ingeniero de mierda? ¿Por qué no mató a Luismi esa misma mañana, cuando despertó junto a él sobre el colchón? Debió haberlo matado y huido con el dinero que le había robado, por poco que fuera. Eso era todo en lo que pensaba últimamente: en matar y en huir, y nada más; la escuela era una puta monserga, una pérdida de tiempo; las drogas y alcohol lo tenían asqueado, ya ni siquiera era capaz de disfrutar sus efectos; sus amigos eran todos unos pobres pendejos, y su madre una pinche tarada que seguía creyendo que el padre de Brando regresaría un día a vivir con ellos de nuevo, una pobre vieja pendeja que prefería fingir que no sabía que el padre de Brando ya tenía otra familia allá en Palogacho y que nada más les mandaba dinero cada mes porque se sentía culpable de haberlos botado al carajo como si fueran basura, madre, como si fuéramos mierda, agarra el pinche pedo: de qué te sirve rezar tanto, de qué te sirve si no eres capaz de reconocer la verdad, ¡ya todo el mundo lo sabe, pendeja! Pero ella se encerraba en su recámara y comenzaba a rezar sus letanías casi gritando para no tener que oír sus palabras ni las patadas que Brando reventaba contra la puerta, patadas y puñetazos que él gustosamente hubiera querido encajarle a ella en la jeta, a ver si así finalmente entendía, a ver si así finalmente se moría y se largaba de una vez a su puto cielo y dejara de joderlo con sus rezos, sus sermones, sus quejidos y sus malditos lloriqueos de Dios mío, ¿qué hice para merecer un hijo así? ¿Dónde está mi niño adorado, mi Brando tan dulce y tan bueno? ¿Cómo permitiste que el diablo entrara en su cuerpo, Señor? El diablo no existe, pendeja, ladraba él, del otro lado de la puerta. El diablo no existe y tu pinche Dios tampoco, y la madre lanzaba un chillido agónico y los rezos se sucedían, con más intensidad y devoción, para atajar las blasfemias del hijo, y Brando se daba la vuelta y entraba al cuarto de baño y se paraba enfrente del espejo y miraba el reflejo de su rostro hasta que le parecía que sus pupilas negras y los iris también negros de sus ojos crecían y se dilataban hasta velar por completo la superficie del espejo, y una oscuridad terrible lo invadía todo: una oscuridad en la que ni siquiera existía el consuelo del resplandor de las llamas incandescentes del infierno; una oscuridad desolada y muerta, un vacío del que nada ni nadie podría rescatarlo nunca: ni las bocas ávidas de los maricones que lo abordaban en los antros de la carretera, ni las escapadas nocturnas en pos de las orgías de perros, ni siquiera el recuerdo de lo que él y Luismi habían hecho, ni siquiera eso. *No se tú, pero yo te he comenzado a extrañar,* cantaba la radio del Sarajuana, *en mi almohada no te dejo de pensar,* pero Luismi ya no cantaba las palabras, ni siquiera las tarareaba distraídamente como siempre que ponían una rola que le gustaba, *con las gentes, mis amigos,* ni siquiera hablaba ya, de lo pastillo que se ponía, *en las calles, sin testigos,* porque el ingeniero dejó de contestarle las llamadas y nadie volvió a verlo nunca en los antros de la carretera, y se rumoraba que al cabrón lo habían transferido a otra estación debido a la creciente inseguridad que reinaba en la zona cañera, y Brando no le contó nunca a Luismi lo que pasó con el ingeniero aquella vez que el puto ruco maricón le propuso chuparle el culo, ni tampoco le reclamó su indiscreción al respecto de lo que había pasado entre ellos, porque hacerlo hubiera sido como admitir que aquella noche verdaderamente había ocurrido, y Brando no estaba preparado para enfrentar eso, aunque la verdad es que tampoco estaba preparado para enfrentar la pendejada que Luismi cometió tras pasarse días enteros llorando por el ingeniero y pasoneándose en los baños de los antros y en la cuneta de la carretera, la noche que llegó feliz y radiante al Sarajuana a anunciarles a todos que... ¡Se había casado! ¡No mames, loco! ¿En serio? ¿Casado, bien casado? Ajá, asintió el idiota. Se llama Norma y es de Ciudad del Valle. ¡Chale! ¿La chamaquita esa que levantó del parque el otro día? Ya varios de la banda le tenían el ojo echado a la escuincla esa cuando el Luismi les ganó el brinco a todos y se la llevó para su casa, para La Matosa, y ahora era su vieja, pues, su mujer, y... ¡Agárrense esta, pinches mayates!: la Norma está preñada y en unos meses Luismi será padre. ¡Órale! ¡No mames, loco! ¡Felicidades, pues!, gritó la banda, y según que para festejar la boda aquella misma noche se pusieron todos un pedo asqueroso, y el Luismi andaba feliz de la vida, puto maricón de mierda, y todos los pinches chotos del pueblo se peleaban por mamársela al recién casado, y pinche Luismi volvió a tener pegue y hasta decía que ya no iba a meterse más pastillas, y los ojos le brillaban por primera vez en muchísimo tiempo, y Brando nomás rabiaba de pensar en lo que habían hecho juntos, en esa noche que ya nunca volvió a repetirse y cuyo recuerdo le atormentaba al grado de querer arrancárselo del cerebro, y no dejaba de preguntarse quién más conocía el secreto, a quién más se lo habría contado. ¿O tal vez el ingeniero ni siquiera sabía nada y nomás le dijo aquello para ver si pegaba, para destantearlo pues...? Porque nadie se burlaba de Brando, nadie lo molestaba con Luismi ni se atrevía a insinuar nada, y hasta el propio Luismi se comportaba como siempre, como si todo lo que pasó esa noche fuera un pinche alucín de la mente de Brando, como si nunca jamás en la vida se hubieran tocado y besado y cogido, y lo trataba de lo más normal del mundo, igual que siempre: lo saludaba alzando las cejas cuando lo veía llegar al parque, y chocaba su puño con el de él como el protocolo lo exigía, y a mitad de la peda le invitaba unos jalones de su mota en el patio de El Metedero, jalones que Brando consumía sin hablar con él, sin mirarlo, y por supuesto, sin tocarlo, como si nada hubiera sucedido, como si Brando se lo hubiera imaginado todo, aunque, claro, aquello no era posible: él no era ningún puto maricón de mierda, ¿verdad?, como para andarse imaginando esas pinches puterías... ¿Pero entonces por qué tenía que hacer un esfuerzo tremendo para quitarle los ojos de encima a Luismi cuando bebían con la banda, o cuando transaban con los chotos? ¿Por qué tenía la impresión de que Luismi estaba esperando el momento preciso para contarle a todo el mundo lo que había pasado? ¿Por qué Brando estaba cada vez más obsesionado en matarlo antes de que eso sucediera? Todo lo que tenía que hacer era conseguir un arma, lo cual era fácil; y matarlo, lo cual tampoco se complicaba; y deshacerse del cuerpo, aunque tal vez podría dejarlo botado en algún canal de riego, y finalmente largarse del pueblo, largarse a donde nadie nunca pudiera volver a encontrarlo, mucho menos la pendeja de su madre; tal vez incluso tendría que matarla a ella también antes de largarse; pegarle un tiro mientras dormía, o algo así, algo rápido y discreto para mandarla a su puto cielo, acabar de una vez por todas con su sufrimiento. Porque la verdad era que su madre no servía para nada: no trabajaba, no ganaba ni un quinto, se la pasaba en la iglesia o aplastada frente a la televisión viendo sus novelas y leyendo sus revistas de chismes de la farándula, y su única aportación al mundo era el dióxido de carbono que exhalaba con cada respiración. Una vida completamente ociosa e inservible. Matarla sería hacerle un favor; un acto compasivo. Pero antes de llevar a cabo todo eso necesitaba conseguir dinero, dinero suficiente como para poder llegar a otra ciudad y encontrar un sitio dónde vivir, y poder sostenerse hasta conseguir un trabajo, hacerse de una vida nueva, una vida tan libre como la que seguramente su padre se construyó cuando la Compañía lo transfirió a Palogacho y pudo al fin librarse de ellos, de la madre mocha y frígida, y del chamaco pendejo que no hacía más que obedecer ciegamente lo que la madre decía, lo que la madre quería, el pinche mocoso que todos los domingos ayudaba al padre Casto en las misas, vestido de monaguillo, y que creía que hacerse la chaqueta era pecado y que se iría al infierno si lo intentaba. A la verga, pensaba; a la verga con todos en ese puto pueblo culero, mientras se relamía los labios entumidos porque qué rica era la coca espolvoreada en la punta de un cigarrillo, qué recio entraba en sus pulmones, qué subidón cuando la brasa aún viva se reencendía, pa' su puta madre, pariente, tronaba los dedos Brando, pa' su puta madre, está re buena, ¿no quieres?, le ofrecía a Luismi, pero este se reía con sus dientotes chuecos y decía que nel, que lo había dejado, igual las pastillas, que ahora nada más con pura chela y mota tenía. Willy hablaba de sus aventuras en Cancún, de lo bien que la había pasado cuando se salió de su casa a los diecisiete y se fue a trabajar de mesero allá a la Península. Brando tenía ganas de preguntarle cuánto dinero se necesitaría para empezar una nueva vida allá, pero le dio culo que los demás vieran que estaba muy interesado, que pensaran que algo se tramaba. Con treinta mil varos me alcanza, calculó; treinta mil varos serían suficientes para llegar a Cancún y rentar un cuarto y empezar a buscar chamba; de lo que fuera, de mesero, de garrotero en los restaurantes, de lavaplatos si era necesario, lo que hiciera falta, al principio, para instalarse, y ya después aprender un poco de inglés y buscar chamba en los hoteles, donde nunca faltaba el gringo choto al que se le antojaba que le dieran un piquete, pero nunca quedarse en el mismo sitio, siempre moverse, chupar y coger y cotorrear ante aquel mar azul turquesa casi verde. ¿Cómo ves?, le había preguntado a Luismi, cuando salieron a fumar un gallo al patio de El Metedero. De pronto, quién sabe cómo, se le había ocurrido una idea para conseguir el dinero, los treinta mil varos: sacárselos a la Bruja. La onda era caerle en su casa y pedirle el varo prestado, o de plano chingárselo si vemos que vale la pena; dicen que tiene oro ahí escondido, Luismi, de esas monedas viejas que valen un resto de lana; dicen que una vez un bato encontró una monedita metida debajo de la pata de un mueble que la Bruja quería que le movieran, y cuando fue a venderla al banco le dijeron que valía como cinco mil varos, la mugre monedita esa, y el choto la tenía ahí tirada sin saber, sin darse cuenta cuando rodó abajo del mueble; porque era seguro que en algún lugar de esa casa había cofres o sacos llenos de esas monedas; de qué otra cosa iba a vivir la Bruja, pues, si no trabajaba, si las tierras ya se las habían chingado los cabrones del Ingenio; de dónde sacaba entonces el dinero para seguirles pagando el alcohol y las drogas a los chamacos que iban a su casa a ponerse hasta su madre y escuchar sus canciones culeras y a veces enchufársela en los sillones aquellos; y ponte a pensar, Luismi, que incluso si no llegamos a encontrar el dinero hay cosas de valor en esa casa: las bocinas y las consolas del sótano, y la pantalla gigante y el proyector, todo eso vale dinero y perfectamente podemos cargarlo en la camioneta de Munra, que sin pedos nos llevaría a casa de la Bruja si le ofrecemos dinero; piénsalo, seguro que algo tiene escondido en el cuarto de arriba, si no por qué tenerlo siempre todo cerrado, por qué se ponía hecha una furia cada vez que alguien subía las escaleras, cada vez que alguien le preguntaba qué era lo que tenía ahí guardado. ¿Qué escondería? Brando no sabía. ¿Valdría la pena? Brando no tenía la menor idea; pero lo que sí sabía era que no podían dejar testigos, aunque eso no se lo dijo nunca a Luismi, para que no se hiciera ideas antes de tiempo. Matar al choto y dejar embarcado al pendejo del Munra, y luego él y Luismi se largarían, y Brando tendría que deshacerse también de él, tarde o temprano, pero solo lo haría cuando estuvieran lejos del pueblo, lejos de Villa, de todo lo que conocían, solo entonces Brando haría que Luismi pagara por la humillación y la angustia que le había hecho sentir todo ese tiempo, especialmente desde que Brando lo vio con aquella escuincla que según Luismi era su esposa, una mocosa con cara de india, espigada pero panzona que nunca decía nada y que se chapeaba cada vez que le dirigían la palabra. Era tan pendeja que no se daba cuenta de que el Luismi le sacaba la vuelta; el cabrón le había inventado que trabajaba de velador en Villa, para poder seguir en su desmadre con los rucos panzones de siempre: los choferes y los operadores y los dizque ingenieros esos que ni la prepa habían terminado y que se las daban de muy influyentes por llevar una camisa bordada con el logo de la Compañía y chupar *buchanans*. Loco, le decía Brando al Luismi, cuando se lo topaba solo en el parque, vamos a chacalear ese dinero, vamos a caerle a la Bruja y a chingarnos ese varo y a largarnos de aquí para siempre, tú y yo juntos, pero el Luismi sacudía la cabeza y decía que él ya no quería ver a la Bruja, que todavía no le perdonaba que no le hubiera creído lo del dinero: que se vaya a la verga si cree que voy a andar arrastrándome, después de que me llamó ladrón y culero; y Brando le insistía, todos los días, cada vez que lo veía le insistía porque ya le urgía largarse de ahí y pensaba que la única manera de que la Bruja le abriera la reja era si veía a Luismi ahí parado, porque todo el mundo sabía que la pinche loca todavía lloraba por el Luismi y se la pasaba preguntando por él y extrañándolo, y que si Luismi se disculpaba seguramente ella lo perdonaría y tal vez hasta le daría el dinero sin necesidad de que tuvieran que matarla; pero Luismi seguía de necio con que no, con que no quería ver a la Bruja, y además qué hueva irse de La Matosa, mejor quedarse, ahí algo les saldría más adelante, no había que desesperarse, y además la Norma está embarazada y no podía arriesgarse a que le pasara algo en el camino; y Brando asentía solidariamente y decía: claro, tienes razón, mientras que por dentro pensaba: hijo de tu puta perra madre que te parió, cómo te odio, cabrón, cómo te odio. Y se prometía a sí mismo no volver a decirle nada a Luismi, pero al día siguiente volvía a verlo y las palabras le brotaban solas de los labios: ándale, pinche Luismi, vamos a armarla, vámonos a la verga de aquí, porque ya no podía pensar en otra cosa; noche y día pensaba en cómo matarían a la Bruja, en cómo huirían con el dinero, en lo que harían para poder cambiar aquellas monedas de oro sin levantar sospechas, en cómo finalmente terminarían lo que habían empezado aquella noche sobre el colchón de Luismi, y en cómo Brando mataría al cabrón mientras durmiera. Las vacaciones de Semana Santa terminaron y Brando ya ni siquiera se molestó en volver a la escuela; no le veía el caso a seguir estudiando, y de todos modos no podía concentrarse en nada. Su madre no se atrevió a reclamarle y, de hecho, parecía contenta de tenerlo en casa ahí con ella; ya ni siquiera le importaba que Brando se largara a beber todas las noches hasta amanecerse, siempre y cuando se quedara a ver con ella la novela de las nueve; lo que hiciera después no le importaba: ella rezaba por él, ella rezaba y ponía todo en manos de Dios, Jesús y la Virgen, y que pasara lo que tenía que pasar, que se hiciera Su Santísima Voluntad. Y Brando cada vez estaba más harto de ella, de la novela de las nueve, de las risotadas imbéciles de los personajes de las comedias y la música empalagosa de los comerciales y del chirrido del ventilador al girar a toda velocidad sobre el techo. Estaba harto del pueblo, harto también de la pendeja de Leticia y de los panchos que le armaba por teléfono porque Brando ya no quería cogérsela. La maldita prieta se había obsesionado con tener un hijo de Brando; decía que su marido era un pendejo pocos huevos que no podía hacerle un chamaco por más que se la cogía todos los días, así que quería que Brando fuera a verla y le metiera la verga y eyaculara dentro de ella para dejarla embarazada. Ella criaría al chamaco como si fuera hijo del marido, decía; Brando no tenía que preocuparse de nada más que de llenarle la pucha con sus mecos y hacerle un hijo, decía. ¡Nada más llenarle la pucha con sus mecos, decía, la pendeja! ¡Hacerle un hijo! Que se fuera a la verga: lo último que Brando necesitaba era dejar algo suyo en aquel pueblo de mierda. No, ni madres, no le daría el gusto, por mucho que le rogara, por mucho que hasta dinero le ofreciera. Él podía conseguir el dinero de otra manera; se marcharía a Cancún después y trabajaría de mesero, y se cotorrearía a los gringos, sin dejar de moverse nunca de un lado para otro: para no aburrirse, para que no los atraparan. Vamos, pinche Luismi, volvía a insistirle, cuando nadie más los escuchaba, porque Brando no quería testigos: vamos este lunes, este martes, la próxima semana, y le caemos, Munra nos lleva si le damos dinero; llegamos y tocamos la puerta y tú la convences de que nos abra la reja, y una vez adentro conseguimos la lana, prestada o chingada, vale verga, y nos largamos en ese mismo momento de aquí, sin maletas ni nada para no despertar sospechas, sin avisarle a nadie, solo tú y yo, vamos, pinche Luismi; y Luismi: pero tenemos que llevar a Norma, y Brando sacudía la cabeza y pensaba: como si la chamaca esa realmente te importara, pinche choto, pero luego se recuperaba y sonreía y en voz alta decía: claro, es cierto, no podemos irnos sin tu esposa, ¿verdad? Y la palabra "esposa" le sabía a mierda en la boca. Tanta negativa por parte de Luismi le frustraba. Por un tiempo incluso creyó que Luismi se había olido sus intenciones de chingárselo, de matarlo cuando estuvieran lejos, y por un par de días contempló seriamente la idea largarse él solo, sin dinero, hasta que un viernes en la tarde el Luismi, cosa rara, fue a buscarlo a su casa. El bato estaba hecho una piltrafa: llevaba dos días sin dormir porque Norma —y Brando apenas pudo entender lo que Luismi le contó porque no dejaba de apretar los dientes, del coraje que lo ahogaba—, su esposa, estaba gravísima en el hospital y la culpa era de la Bruja, de algo que la Bruja le había hecho a la pobre chamaca, y por eso el bato ahora sí quería que fueran a su casa y armaran aquel desmadre ese mismo día: hoy, en corto, cabrón, en caliente, hoy, pinche Brando, así hasta el pito de pastillo y apenas podía sostenerse en pie, y Brando estuvo a punto de mandarlo a la verga, de agarrarlo a golpes para que se diera cuenta de las mamadas que estaba diciendo, pero luego pensó que tal vez aquella era la oportunidad que había estado esperando. Qué más daba cuándo lo hicieran y los motivos de Luismi, qué perdía con intentarlo si tal vez nunca volvería a presentarse una ocasión como aquella, así que le dijo que sí, que fueran, pero que antes bebieran más, para prepararse, para agarrar valor, y entró a su cuarto y se puso una playera negra —para ocultar la sangre que llegara a salpicarle, pensó prudentemente—, y luego encima se puso una del Manchester, y tomó todo el dinero que tenía y sin decirle nada a su madre se salió de la casa y tomó a Luismi del brazo para que no se le escapara y lo condujo hasta la tienda de don Roque, donde compraron dos litros de aguardiente de caña y los mezclaron en una garrafa de bebida sabor naranja, agua azucarada con pintura y veneno que bebieron entre los cuatro, porque camino al parque se les pegó el Willy, y luego el Munra llegó a bordo de su camioneta, y Brando en realidad no creyó que Luismi estuviera hablando en serio; tenía la impresión de que en cualquier momento el bato se rajaría, o de que cometería la pendejada de alardear frente al Munra y el Willy y que el plan se les cebaría, y por eso le sorprendió que Luismi, con lo idiota que andaba, tuviera el tino de esperar a que el Willy se quedara bien noqueado sobre la banca del parque, antes de pedirle a Munra que les hiciera el paro de llevarlos a La Matosa. Tal vez el bato no estaba tan drogado como Brando creía, o realmente sus ganas de venganza iban en serio. El pendejo de Munra dijo que los llevaría a donde ellos quisieran, si le daban varo, de menos cien varos para ir al pueblo, y Brando dijo cincuenta ahora y cincuenta de regreso, después del paro, es lo que tengo, después te doy el resto y nos vamos a cotorrear con lo que saquemos, y el Munra dijo: juega el pollo, y se fueron, y pasó aquello, pasó aquello, pasó aquello de que apenas podía sentir la fuerza de sus manos y pasó que no debió haberla golpeado tan fuerte a la pinche loca con la muleta cuando se dio la vuelta para salir de la cocina corriendo, y justo en esa parte del cráneo, carajo, porque de volada se fue para el suelo y todavía Luismi le entró a patadas en la cara, y ya después de eso no volvió a decir ni una sola palabra, ni siquiera cuando Brando le metió unos cachetadones para que confesara dónde tenía escondido el dinero; se quejaba nomás, y babeaba en el suelo de la cocina mientras la sangre le manaba de la herida y le empapaba los cabellos, y en chinga tuvieron que ponerse a buscar solos el tesoro. Quién sabe cuánto tiempo se tardaron en registrar toda la casa, porque el Munra dijo que había sido como media hora nomás, pero Brando sintió que pasaron días enteros allí dentro, cada vez más decepcionados conforme recorrían los cuartos de la planta alta; cuartos deshabitados, amueblados apenas, cuatro paredes y dos muebles, una cama y una cómoda, o una cama y una silla, o una mesa en el centro de una habitación por lo demás vacía; un sanitario pequeño y oscuro como una letrina; cortinas colgadas frente a las ventanas clausuradas, paredes grises, dibujos incomprensibles y un hedor bestial, inhumano, a muerte vieja. Y quién sabe, pensaba Brando con horror, cuál de aquellos cuartos sería el de la Bruja, dónde era que la loca se acostaba por las noches, porque todas las habitaciones de aquel piso lucían deshabitadas, desoladas incluso, como si nadie nunca hubiera descansado sobre esas camas de apariencia rígida, cubiertas de edredones polvorientos. Revisó los cuartos y los armarios llenos de ropa apolillada, bolsas de basura, papeles podridos, hasta llegar al fondo del lúgubre pasillo, en donde se alzaba la única puerta cerrada con llave, al parecer atrancada por dentro, y por más que Brando le estuvo arrimando trancazos con el hombro y por más patadas que le propinó al picaporte, la puerta aquella siguió cerrada, y cerrada permaneció cuando Luismi subió para ayudarle, aunque la verdad es que para ese momento el Luismi ya no servía para nada; el acelere de chingarse a la Bruja se le había bajado y ahora el cabrón parecía pasmado, y Brando empezó a hacerse la idea de que todo aquello había sido una tremenda pendejada, porque no había nada en aquella casa más que un billete de doscientos pesos sobre la mesa de la cocina, y un puñado de monedas normales tiradas en la sala, monedas que Brando tuvo que recoger como un limosnero porque las manos de Luismi temblaban y todo se le caía: en medio de la loquera que traía finalmente se estaba dando cuenta de lo que habían hecho, de que la Bruja estaba pelada, más p'allá que p'acá, y que respiraba quién sabe cómo, entre bufidos y jadeos, y se veía que estaba sufriendo, por la manera en como gemía, y Brando le dijo a Luismi que tenían que llevársela a otro lugar, tirarla en el monte, para que no fuera tan fácil que la encontraran; que si la dejaban ahí en la casa las mujeres que todavía se aparecían los viernes podrían encontrarla, y encontrarlos a ellos, y que por eso tenían que largarse de aquel lugar en chinga, en aquel mismo instante, y como pudieron envolvieron a la Bruja en sus propias faldas y con el velo asqueroso ese que llevaba le envolvieron la choya para que los sesos no se le salieran por la herida, y así entre los dos la levantaron y la metieron en la camioneta, y se la llevaron por el camino que sube pa'l Ingenio pero antes de llegar el río torcieron hacia una senda que sacaba al recodo del canal de riego, y ahí la bajaron, y la arrastraron hasta el borde de la cañada y Brando le dio el cuchillo a Luismi, el cuchillo que tomó de la cocina de la Bruja, el mismo que llevaba ya años ahí en la mesa, desde que Brando podía acordarse, sobre el plato de sal gruesa, y que todo aquel tiempo Brando apretó en su puño mientras dirigía a Munra al volante de la camioneta, y a la mera hora Luismi se negó a sostener el cuchillo y Brando tuvo que colocarlo en su mano, y cerrar sus dedos en torno al puño de Luismi, para que apretara bien el mango. Tampoco quería mirar a la Bruja, pero Brando necesitaba convencerlo de que la pobre loca estaba sufriendo, de que era urgente terminar con su dolor y darle la puntilla, vaya, el tiro de gracia, nomás que como no tenían pistola ni balas tendrían que usar el cuchillo, enterrárselo al maricón que temblaba y gemía sobre la yerba, con la cara manchada de sangre y de esa mierda amarilla que le salía de la herida de la nuca y que apestaba tan pinche culero. Entiérraselo en el cuello, le dijo a Luismi, entiérraselo bien metido en el cuello, para que termine de desangrarse, pero el pendejo maricón de Luismi nomás le hizo un tajo bien pedorro y no alcanzó a cortarle ninguna vena importante, nomás hizo que la Bruja abriera los ojos bien grandes y que les pelara los dientes llenos de sangre, y Brando ya no pudo soportar más aquello, y se arrodilló junto a Luismi y volvió a envolver el puño de este con sus propias manos y con toda la fuerza de su cuerpo, guió la cuchilla hacia la garganta de la Bruja, una vez, y luego otra, y una tercera vez más, por si las moscas, ora sí atravesando las capas de piel y de músculo, las paredes de las arterias y el cartílago de su laringe e incluso los huesos de las vértebras, que a la tercera cuchillada se partieron con un chasquido seco que hizo llorar al choto de Luismi como una criatura, con el cuchillo todavía apretado en su puño y la sangre salpicando por todas partes, manchándoles las manos, las ropas, los zapatos, el pelo, incluso los labios, y Brando tuvo que quitarle el cuchillo de las manos y arrojarlo al canal, aunque hubiera preferido limpiarlo y conservarlo, tal vez para usarlo de nuevo, esa misma noche, contra su madre y contra Luismi, porque él tenía que volver a La Matosa aquella misma noche: tenía que regresar a casa de la Bruja, después de la novela de las nueve, después del noticiero y a la mitad del programa de variedad que su madre contemplaba ya dormitando; volvería en bicicleta, peleando contra las moscas que trataban de metérsele por la boca entreabierta a causa del esfuerzo, y contra las raíces de los árboles que crecían por encima del suelo, y contra el viento necio que le alborotaba los cabellos y que le arrancaba de la frente los goterones de sudor que terminaban salpicando la tierra reseca. Había vuelto a casa de la Bruja para buscar el dinero, y una vez más no había hallado ni un carajo: la sala estaba vacía como el interior de un caracol muerto, llena de ecos y un silencio chocante, y lo mismo pasaba en el sótano y en los cuartos de la planta baja y en los de arriba, donde no encontró nada a pesar de que volvió a mover todos los muebles y escarbó entre la basura e incluso rompió algunas de las bolsas de plástico que se acumulaban contra las paredes, sin encontrar nada. Nada de nada. Por último, se dirigió a la puerta cerrada que no pudieron abrir en la tarde porque estaba completamente sellada, y se arrodilló ante ella para mirar por debajo de la rendija que se abría entre la madera y el suelo, pero no percibió nada más que polvo y oscuridad y aquel olor a muerto que impregnaba el pasillo. Pensó que en algún lugar de aquella casa tenía que haber un machete, aunque fuera oxidado, y que si lo usaba contra la cerradura tal vez podría hacer saltar la chapa, o de menos destrozar la madera que la sostenía, y descendió corriendo por las escaleras y al llegar al umbral del pasillo se paró en seco al toparse con los ojos amarillos de un inmenso gato negro que lo miraba desde el quicio de la puerta de la cocina, y Brando no sabía cómo había podido meterse el animal ese que lo miraba tan descaradamente, si él mismo había cerrado con tranca la puerta de la cocina, para que nadie tratara de entrar mientras registraba la casa. El piche gato no se movió cuando Brando alzó una pierna para hacer como que lo pateaba; no se movió ni parpadeó siquiera, aunque de su hocico cerrado comenzó a escucharse un bramido furioso que hizo que Brando diera un paso atrás y pasara la mirada por la superficie de la mesa, rogando que hubiera otro cuchillo ahí encima, y en aquel momento las luces de la cocina y de la casa entera se apagaron de golpe, y Brando supo entonces que aquel animal rabioso, aquella bestia que bufaba en la oscuridad era el diablo, el diablo encarnado, el diablo que lo venía siguiendo desde hacía tantos años, el diablo que por fin venía para llevárselo al infierno, y supo también que si no corría, que si no escapaba en aquel instante de la casa se quedaría atrapado con la horrible bestia en aquella oscuridad para siempre, y dio un salto hacia la puerta de la cocina, y levantó la tranca y la empujó con todas sus fuerzas y cayó de bruces sobre la tierra dura del patio, con el bramido del demonio taladrándole los oídos. Se arrastró por el polvo hasta que halló su bicicleta y partió desesperado a través de la noche susurrante, pedaleando enloquecido por las veredas que cruzaban los cañaverales, sudando a causa del miedo, a causa de la terrible convicción de estar perdido en medio de la nada, pedaleando en círculos por caminos que terminarían, tarde o temprano, en desembocar en el canal de riego, donde la Bruja lo esperaba con la garganta abierta y los sesos de fuera y los dientes llenos de sangre... y ya casi había perdido las esperanzas de salvarse, cuando finalmente percibió las primeras luces de Villa, aquellas de las casas cercanas al cementerio. Pedaleó hasta alcanzar la avenida principal, completamente vacía, y llegó a su casa media hora después. Comprobó que su madre estuviera dormida antes de meterse al baño para lavarse la cara y las manos llenas de tierra, pero casi suelta un alarido cuando alzó la vista para mirarse en el espejo empañado y vio su propio reflejo, y en lugar de ojos su rostro mostraba dos aros luminosos que brillaban sobre el azogue sudado. Tardó varios minutos en tranquilizarse, varios minutos en los que permaneció inmóvil frente al lavamanos, con los ojos cerrados y los cabellos en punta y las manos alzadas frente al rostro, como temiendo un ataque de su reflejo, hasta que logró recuperar la suficiente cordura como para echarle otro vistazo al espejo y comprobar que debajo de la capa de rocío grasiento que cubría la superficie del vidrio no había dos aros de luz demoníaca sino sus mismos ojos de siempre, hundidos y enrojecidos, ojerosos y desesperados, pero totalmente normales, y terminó de lavarse la cara, el pecho y las manos y volvió a su cuarto y se acostó sobre la cama y miró el techo durante varias horas, incapaz de conciliar el sueño. *No sé tú,* estaba casi seguro de que aquella noche Luismi tampoco había podido dormir, *pero yo te busco en cada amanecer,* que Luismi lo esperaba despierto sobre el colchón de su casa, *mis deseos no los puedo contener,* que aguardaba a que Brando acudiera a su lado para terminar lo que habían empezado, *en las noches cuando duermo,* en aquel puto colchón mugroso, *si de insomnio,* el asunto que se traían pendiente, *yo me enfermo*: cogerse y matarse, tal vez las dos cosas al mismo tiempo. Pensó también en el fracaso del dinero, y lágrimas de humillación le llenaron los ojos. Pensó por último en huir de cualquier modo; buscar refugio en algún otro lado. Tal vez, si lograba comunicarse con su padre en Palogacho, tal vez él podría darle refugio por unos días... Palogacho no estaba lejos de Villa pero al menos era un primer paso en caso de que la policía se pusiera a buscarlo... Y pensando todo aquello, y en cómo sería estar al fin lejos de aquel pinche pueblo y de su madre, el cielo se fue iluminando y cuando se dio cuenta las aves ya cantaban sobre las ramas de los almendros, y sin haber dormido un solo segundo, Brando se levantó de la cama y caminó a la sala, para buscar el número de su padre en la libretita que su madre guardaba siempre junto al teléfono, y lo había llamado, y el teléfono había sonado y sonado durante un buen rato, hasta que el bato en persona le contestó con un "bueno" todo desganado, y Brando lo saludó nervioso —hacía años que no hablaba con su padre y era posible que el bato ya no le reconociera la voz de hombre y que llegara a colgarle pensando que era una de esas llamadas realizadas por extorsionadores—, y se disculpó por la hora que era y balbuceó un par de frases de cortesía que le supieron falsas pero que ni siquiera alcanzó a terminar porque su padre le interrumpió: ¿qué es lo que quieren? Dile a tu madre que no puedo mandarles más dinero, tengo demasiados gastos... Un bebé comenzó a chillar del otro lado de la línea. Brando dijo: entiendo, pero mira... Y ya va siendo hora de que tú te ocupes de mantener a tu madre, ¿no crees? ¿Qué edad tienes ya, dieciocho años? Diecinueve, respondió Brando. La madre había entrado a la sala, vestida con aquel camisón raído que se negaba a tirar a la basura, y con señas frenéticas trató de hacer que Brando le pasara el auricular, pero él prefirió colgar la llamada sin despedirse del bato. La madre quiso saber qué ocurría, y Brando le dijo que cerrara la boca, que no pasaba nada, que regresara a la cama y tratara de dormirse, y él volvió a su habitación y se vistió con lo primero que encontró en el suelo, y cogió los doscientos pesos y las monedas que le había quitado a la Bruja, y sin hacer caso del llanto de su madre en el pasillo, metió algo más de ropa limpia en su mochila y salió de la casa azotando la puerta, y subió por la calle principal hasta la salida de Villa, hasta la gasolinera, dispuesto a pedirle raite al primer camionero que se detuviera. Tenía que hacerlo en ese mismo momento porque el puente del primero de mayo enlentecería el tráfico y los choferes dispuestos a subirlo se volverían más escasos, y tal vez si se apuraba conseguiría huir a tiempo, aunque fuera con aquellos doscientos varos en la bolsa, dependiendo de la generosidad de los camioneros y de su propia capacidad de mayatear hasta llegar a Cancún, o a la frontera, o a donde fuera, qué más daba ya. Pero mientras caminaba pensó también en Luismi, en lo mucho que quería verlo antes de irse, arreglar esa cuenta pendiente que tenían, y a cada minuto que pasaba Brando sentía más y más rabia, y más y más tristeza, y antes siquiera de llegar a la carretera, se dio la vuelta y emprendió el camino de regreso a casa. Eran las cuatro de la tarde cuando abrió la puerta de la entrada, y sin dirigirle la palabra a su madre que rezaba arrodillada frente al altar de la sala, entró en la vivienda y fue a su cuarto y se quitó la ropa polvorienta y sudada y se acostó en la cama y durmió cerca de doce horas seguidas, sin sueños ni pesadillas, y se despertó cuando todavía estaba oscuro, con el cuerpo cubierto de sudor frío. Se levantó de la cama y caminó hasta la cocina, donde se bebió una jarra entera de agua hervida, y oteó el interior de una olla que su madre guardaba en el refrigerador sin que los frijoles que contenía le apeteciera en lo absoluto, antes de volver a la cama y dormir otras doce horas más de corrido. Cuando volvió a despertar se sintió desorientado y su cuerpo entero temblaba bajo las sábanas, como si hiciera frío. Tenía la sensación de que los muros de la casa se le vendrían encima si no se largaba de ahí, así que se vistió y salió a la calle, con el estómago vacío y los oídos zumbándole. Sentía el cuerpo como entumido, y el aire que entraba a sus pulmones tenía una consistencia densa, casi líquida. Caminó rumbo a la esquina de la cuadra, y al voltear hacia la tienda de don Roque se topó con un espectáculo conocido: un chavito del barrio, un muchachito de cara pálida y cabellos muy lacios y oscuros, jugaba solo ante la maquinita estacionada en la acera, junto al cajón de verduras, ya mustias a esa hora, que don Roque exhibía a la entrada de la tienda. Brando no recordaba el nombre de aquel niño, pero lo conocía bien de vista. Hacía años que lo venía observando en el barrio, sobre todo porque se le figuraba parecido a él cuando era niño, aunque más blanquito: una versión mejorada de sí mismo, pues; un morro al que su madre sí le permitía salir a jugar solo a las maquinitas de don Roque, y el cabrón no lo hacía nada mal, o por lo menos parecía que le echaba ganas, a juzgar por la manera feroz en como embestía las palancas y los botones de la maquinita, sacudiendo su culillo respingado al ritmo de la música. Los labios de aquel niño era rosados; eso era lo que más le llamaba la atención a Brando; nunca había conocido a otra persona con los labios de ese color, exceptuando a la muchachita del video del perro. Seguramente los pezones del niño, ocultos bajo la tela de su playera, serían del mismo tono rubicundo, y seguramente sabrían a fresa, fantaseó Brando; seguramente derramarían jarabe de frambuesa y no sangre si alguien se atrevía a mordérselos. Se dio cuenta de que estaba parado a mitad de la calle, así que terminó de cruzar y se acercó al niño y estuvo un rato mirándolo jugar hasta que el chico —no debía tener más de diez años, calculó Brando, acariciando con los ojos aquellas mejillas completamente lisas— se volvió hacia él y lo retó a jugar en contra, cosa que Brando aceptó enseguida, aunque ni siquiera conocía aquel particular juego de peleas; hacía muchos años que ya no le interesaban las maquinitas. Entró a la tienda y compró un paquete de cigarrillos para cambiar el billete de a doscientos y se puso a jugar con el niño, limitándose a mover las palancas a lo loco, dejándolo ganar todas las veces y echándole el cuerpo encima, con disimulo, para calar qué tan fuerte era, qué tan difícil iba a ser dominarlo una vez que consiguiera llevarlo hasta las vías, y ya estaba a punto de convencerlo de que se fuera con él, con el pretexto de invitarle un helado —aunque después de esa racha de derrotas voluntarias ya no le quedaran más monedas, carajo—, cuando tres uniformados le cayeron encima por la espalda y lo tundieron a macanazos y lo tiraron al suelo para luego esposarlo y subirlo a la batea de la patrulla. Dónde está el dinero, matachotos, le decían, y huevos, le tiraban un madrazo en el plexo, y Brando: cuál dinero, no sé de qué están hablando, y Rigorito: hazte pendejo, matachotos, dime dónde escondiste el dinero o te quemo los huevos, y Brando había aguantado la putiza porque no quería decirles que esa misma noche había vuelto a casa de la Bruja y no había encontrado nada más que un puto gato fantasma, hasta que empezó a escupir sangre y ellos le pusieron aquellos cables pelados en los huevos y no le quedó más remedio que decirles todo: lo de la puerta cerrada, el único cuarto al que no pudieron entrar y en el que seguramente se encontraba el tesoro de la Bruja, y enseguida que les dijo eso los putos puercos se largaron y a él lo arrojaron al fondo del calabozo, la celda aquella llena de borrachos rezagados del desfile del primero de mayo, y de rateros como esos tres alucinados que le robaron los tenis, y Brando apenas había visto la cara de uno de ellos, el rostro enjuto y barbado del líder, al que le faltaban todos los dientes del frente, antes de arrastrarse hacia el único espacio libre, junto al excusado inmundo de la celda, y hacerse ovillo y abrazar tiernamente sus pobres vísceras molidas mientras el flaco barbón daba vueltas en el centro de la celda, pisoteando a los borrachos con sus nuevos tenis mientras rugía como una bestia enjaulada, excitado por los bramidos de aquel otro infeliz que gritaba como perro reventado, el matricida drogadicto al que habían tenido que encerrar en "el agujerito" para que los otros presos no pudieran matarlo. ¡Cállate, perro!, gritaba el líder a todo pulmón. ¡Cállate, pinche asesino!, gritaban desde la otra celda. ¡Mataste a tu jefa! ¡Quémate en el infierno, perro! El líder llamaba a Brando y pateaba suavemente sus costillas molidas, como queriendo llamar su atención más que lastimarlo, y canturreaba: matachotos, matachotos, mira, mira, y Brando se tapó las orejas y apretó los párpados pero aquel loco seguía jodiendo: mira, matachotos, mira, el enemigo, ¿tú crees en el enemigo?, y el olor de aquel hombre era incluso peor que los meados que impregnaban el piso de la celda, y Brando hizo un esfuerzo por desovillarse, por alzar la mirada hacia el sujeto que lo llamaba con insistencia y murmurar: ¿qué verga quieres, loco? No tengo nada ya, y seguir la dirección en la que apuntaba el dedo flaco del hombre: hacia la pared en la que Brando se había acurrucado, hacia el espacio sobre su cabeza en aquel muro lleno de garabatos y rayones hechos con clavos que representaban nombres y apodos y fechas y corazones y vergas y coños del tamaño de monstruos mitológicos y toda clase de escenas abominables, y en el que destacaban unas líneas de color rojo que formaban la figura de un diablo. ¿Cómo no había visto aquello cuando recién entró a la celda? Aquel demonio gigantesco que presidía el calabozo como un soberano. El enemigo, loco, decía el demente barbado; el enemigo está en todas partes. Lo habían pintado con ladrillo u otro pigmento encarnado, y tenía una cabeza enorme provista de cuernos y trompa de cerdo y ojos redondos y vacíos, rodeados de rayos chuecos, como soles pintados por un niño perturbado, y escuetas patas de chivo y un par de tetas que colgaban hasta la cintura de aquel esperpento, justo por encima de una larga verga erecta que chorreaba lo que parecía ser sangre seca, sangre de a deveras, y el bato barbado, el líder de la celda, se había puesto a gritar a todo pulmón y pateaba a los borrachos para despertarlos, para que presenciaran el milagro que tendría lugar: ¡El enemigo!, gritaba como energúmeno, ¡el enemigo reclama más siervos, la escoria llama a la escoria! ¡Prepárense, putos! Y los borrachos gimieron y se cubrieron las cabezas con los brazos, y otros más se persignaron junto a la reja, pero nadie se atrevió a apartar la mirada del líder, de su danza macabra, el boxeo alucinado que desplegó en el centro de la celda antes de abalanzarse gritando sobre Brando, pero no para golpearlo a él sino para asestarle dos rápidos puñetazos a la pared, justo sobre la barriga del diablo pintado, dos putazos secos que resonaron en el súbito, casi místico silencio que se hizo en el calabozo. Dos golpes, dos, murmuraron los secuaces del líder, alarmados; dos, dos, repitieron los más lúcidos de entre los borrachines; dos, dos, comenzaron a gritar los prisioneros de la otra celda, contagiados, y hasta el perro reventado que lloraba pidiéndole perdón a su mamacita se unió, con su voz rota, al canto colectivo: dos, dos, gritaban todos; dos, dos, susurró Brando, a pesar suyo. Los gritos reverberaban entre las paredes del calabozo y llenaban sus orejas, y tal vez fue por eso que no alcanzó a escuchar el chirrido de la puerta de los separos al abrirse, ni el ruido de pasos acercándose a la reja, pues fue solo hasta que separó su mirada de aquellos soles ciegos en la cara del diablo que se dio cuenta de que había tres figuras paradas frente a la reja de la celda. Ábranse a la verga, culeros, gritaba el celador, blandiendo la cachiporra; sepa la verga cómo le hacen para saber siempre cuántos voy a traerles, culeros, endemoniados, y acto seguido empujó a los dos nuevos prisioneros al interior del cuarto: un hombre bajo, de bigote cano y notoriamente cojo, que apenas si lograba sostenerse parado, y un muchacho flaco, espigado, de cabellos chinos apelmazados de sangre y la boca floreada y los ojos cosidos a puñetazos porque a él si le dieron con todo los puercos de Rigorito, sin importarles los periodistas y las fotografías y una verga de derechos humanos: el Luismi en persona, el hijo de su puta madre maricón de mierda de Luismi, ahí frente a los ojos acuosos de Brando; suyo, carajo, finalmente, suyo; suyo para estrujarlo entre sus pinches brazos.

VII

Dicen que en realidad nunca murió, porque las brujas nunca mueren tan fácil. Dicen que en el último momento, antes de que los muchachos aquellos la apuñalaran, ella alcanzó a lanzar un conjuro para convertirse en otra cosa: en un lagarto o un conejo que corrió a refugiarse a lo más profundo del monte. O en el milano gigante que apareció en el cielo días después del asesinato: un animal enorme que volaba en círculos sobre los sembradíos y que luego se posaba sobre las ramas de los árboles a mirar con ojos colorados a la gente que pasaba debajo, como con ganas de abrir el pico y hablarles.

Dicen que muchos se metieron a esa casa a buscar el tesoro después de su muerte. Que nomás se enteraron de quién era el cuerpo que apareció flotando en el canal de riego para lanzarse con palas y picos y marros con los que partieron el suelo y las paredes y cavaron verdaderas trincheras, buscando puertas falsas, cámaras secretas. Los hombres de Rigorito fueron los primeros; por órdenes del comandante se atrevieron incluso a reventar la puerta de la recámara al final de pasillo, aquella habitación que perteneció a la Bruja Vieja y que desde la desaparición de la hechicera permanecía cerrada con llave. Dicen que ni Rigorito ni sus hombres soportaron el espectáculo que descubrieron ahí dentro: la momia negra de la Bruja Vieja en medio de la pesada cama de roble, el cadáver que comenzó a descamarse y a deshacerse ahí mero frente a sus ojos y que quedó convertido en un montón de huesos y pelos. Dicen que los muy cobardes salieron por piernas y que ya nunca quisieron volver al pueblo; aunque otros dicen que no, que no es cierto, que lo que pasó fue que finalmente Rigorito y sus hombres sí encontraron el famoso tesoro escondido en la habitación de la Vieja —monedas de oro y de plata, y joyas valiosas, y aquel anillo que parecía de vidrio de tan grande que era la piedra que llevaba montada—, y que lo cogieron todo y huyeron a bordo de la única patrulla de Villa. Dicen que en algún momento después de pasar por Matacocuite, la codicia volvió loco a Rigorito y decidió matar a sus hombres antes de tener que compartir el botín con ellos. Dicen que les pidió las armas primero y que luego les disparó por la espalda; que les cortó las cabezas para que las autoridades pensaran que fueron los narcos, y que huyó con todo aquel dinero con rumbo desconocido. Aunque también dicen que no, que aquello era imposible, que era más seguro que los hombres de Rigorito, seis contra uno, lo mataran a él primero; que lo que seguramente pasó fue que los policías se toparon con la avanzada de la Raza Nueva, que venía desde el norte barriendo la cochambre que dejó el Grupo Sombra en las estaciones petroleras, y que fueron ellos los que se chingaron a los policías y seguramente también al propio comandante, cuyo cadáver ya no tarda en aparecer en el sitio de alguna balacera, tal vez descuartizado también y con huellas de tortura y cartulinas con mensajes dirigidos al Cuco Barrabás y demás gentes del Grupo Sombra.

Dicen que la plaza anda caliente, que ya no tardan en mandar a los marinos a poner orden en la comarca. Dicen que el calor está volviendo loca a la gente, que cómo es posible que a estas alturas de mayo no haya llovido una sola gota. Que la temporada de huracanes se viene fuerte. Que las malas vibras son las culpables de tanta desgracia: decapitados, descuartizados, encobijados, embolsados que aparecen en los recodos de los caminos o en fosas cavadas con prisa en los terrenos que rodean las comunidades. Muertos por balaceras y choques de auto y venganzas entre clanes de rancheros; violaciones, suicidios, crímenes pasionales como dicen los periodistas. Como aquel chamaco de doce años que mató a la novia embarazada del padre, por celos, allá en San Pedro Potrillo. O el campesino que mató al hijo aprovechando que andaban de cacería y le dijo a la policía que lo confundió con un tejón, pero ya se sabía desde antes que el viejo quería quedarse con la mujer del hijo y que hasta se entendía a escondidas con ella. O la vieja loca aquella de Palogacho, la que decía que sus hijos no eran sus hijos, que eran vampiros que querían chuparle la sangre, y que por eso mató a las criaturas a golpes, con las tablas que arrancó de la mesa y con las puertas de un armario y hasta la pantalla de la televisión. O aquella otra vieja desgraciada que ahogó a la hijita, celosa de que el marido no le hacía nunca caso a ella pero sí a la nena, así que agarró una cobija y se la puso en la cara a la niña hasta que dejó de respirar. O los cabrones esos de Matadepita, que violaron y mataron a cuatro meseras, y que el juez soltó porque nunca llegó el testigo que los había señalado a ellos como los asesinos, dicen que le dieron cran por andar de chiva, y esos cabrones andan libres, como si nada…

Dicen que por eso las mujeres andan nerviosas, sobre todo las de La Matosa. Dicen que por las tardes se reúnen en los zaguanes de sus casas a fumar cigarros sin filtro y a mecer a los críos más pequeños entre sus brazos, soplando el humo picante sobre sus tiernas coronillas para espantarles a los moscos bravos, y disfrutar el poco fresco que alcanza a subir del río, cuando el pueblo al fin se queda callado y apenas se escucha a lo lejos la música de los congales al borde de la carretera y el rugido de los camiones que se dirigen a los pozos petroleros y el aullido de los perros llamándose como lobos de un extremo a otro de la llanura; la hora en que las mujeres se sientan a contar historias mientras vigilan con más atención el cielo, en busca de aquel extraño animal blanco que se posa sobre los árboles más altos y lo contempla todo con cara de querer advertirles algo. Que no entren a la casa de la Bruja, seguramente; que eviten esos rumbos y no se atrevan siquiera a pasar frente a la fachada, que no se asomen por entre los boquetes que ahora pueblan sus muros. Que le cuenten a sus hijos por qué no deben entrar a buscar el tesoro, y mucho menos acudir en bola con los amigos a recorrer las habitaciones ruinosas y subir a la planta alta para ver quién es el valiente que se atreve a meterse a la recámara del fondo y tocar con la mano la mancha que dejó el cadáver de la Bruja sobre el colchón inmundo. Que les cuenten cómo algunos han salido espantados de ahí, mareados por la peste que todavía se respira adentro, aterrorizados por la visión de una sombra que se despega de las paredes y que comienza a perseguirlos. Que respeten el silencio muerto de aquella casa, el dolor de las desgraciadas que ahí vivieron. Eso es lo que dicen las mujeres del pueblo: que no hay tesoro ahí dentro, que no hay oro ni plata ni diamantes ni nada más que un dolor punzante que se niega a disolverse.

VIII

El Abuelo fumaba sentado sobre un tocón mientras los empleados del depósito terminaban de descargar la ambulancia. Los fue contando a todos, uno por uno, incluso a los que no estaban completos, los que eran puro retazo de gente, sin rostro ni sexo: el pie calloso de algún campesino que seguramente se empeñó en chapear una loma borracho, y dedos y trozos de hígado y jirones de piel que salían sobrando de las cirugías del hospital de los petroleros. El primer muerto entero que bajaron claramente parecía un indigente: tenía la piel percudida y apergaminada de quien se ha pasado media vida delirando sin rumbo bajo el sol inclemente. Después siguió aquella pobre muchacha descuartizada; por lo menos no iba desnuda, pobrecilla, sino envuelta en celofán azul cielo, para que sus miembros cercenados no se desparramaran sobre el piso de la ambulancia, supuso el Abuelo. Luego siguió la recién nacida, la criaturita con la cabeza diminuta como una chirimoya, a la que seguramente sus padres abandonaron en alguna clínica del rumbo antes de que la pobre criatura terminara de morirse. Y, por último, el más pesado y engorroso de todos, el que los empleados tuvieron que sujetar con retazos de sábanas por la forma en como la piel se le desprendía cada vez que trataban de sujetarlo de pies y manos; el que seguramente iba a darle más lata al Abuelo que todos juntos, incluso más que la pobrecita descuartizada, porque además de haber muerto a cuchillo y con violencia, el cabrón todavía estaba entero; podrido pero entero, y esos eran siempre los que daban más trabajo: como que no se resignaban a su suerte, como que la oscuridad de la tumba los aterraba. Pero esos dos pendejos del depósito no estaban para saberlo. Ellos solo querían gorrearle cigarros al Abuelo; decir tontería y media, para ver qué le sacaban. Se viene más chamba, dijo el más flaco de ellos. Hace rato encontraron a los policías de Villa que andaban desaparecidos: bien pelados, sin cabeza. El Abuelo siguió fumando con largas y lentas caladas, la vista clavada en los cuerpos que aquellos dos arrojaron al agujero, calculando la cantidad de arena y de cal que tendría que echarles. Mejor ya vaya de una vez cavando otra fosa, dijo el otro, el güero, el que casi nunca hablaba y nomás se le quedaba viendo al Abuelo con su sonrisita pendeja. A esa todavía le caben unos veinte más, le respondió el viejo. El flaco soltó la carcajada: Lo mismo dijeron en Villa, Abuelo, y ¿ya ve? Tenemos que traerle los cuerpos para acá porque allá no caben. Las fosas del panteón parecen montículos de pícher. El Abuelo nomás se le quedó viendo con los ojillos entrecerrados. ¿Por qué mejor no los entierra parados?, sugirió el güero, arrojando la colilla al fondo de la fosa. El pendejo lo decía en broma, pero el Abuelo sabía que aquello nunca funcionaba. Daban mucha guerra si no estaban acostaditos, bien acomodados el uno sobre el otro. Ellos mismos se sentían incómodos y se removían y la gente no podía olvidarlos y ellos se quedaban atrapados en este mundo y luego andaban haciendo desfiguros, dando tumbos por entre las sepulturas, espantando a la gente. El Abuelo encendió otro cigarrillo y nomás se dedicó a sacudir suavemente la cabeza mientras los empleados del depósito de Villa lo miraban con expectación. Querían que les contara una de sus historia, estaba seguro, pero el viejo no iba a darles el gusto. ¿Para qué? ¿Para que después anduvieran diciendo que el pinche Abuelo ya estaba bien lurias? ¡Que se fueran mucho a la chingada! Sobre todo ese pinche flaco, el que empezó con el chisme de que el Abuelo hablaba con los muertos, y todo por algo que el propio viejo le contó de buena fe, pensando que el baboso entendería, pero no: salió del panteón a decirle a medio mundo que el Abuelo oía voces y que estaba chocho, cuando lo único que el viejo había querido explicarle era la necesidad de hablarle a los cadáveres mientras los enterraba, coño; porque en su experiencia las cosas salían mejor de esa manera; porque los muertos sentían que una voz se dirigía a ellos, que les explicaba las cosas y se consolaban un poco y dejaban de chingar a los vivos. Por eso se esperó a que los dos camilleros se largaran a bordo de la ambulancia vacía antes de atreverse a dirigirle la palabra a los nuevos. Había que calmarlos primero, hacerles ver que no había razón alguna para tener miedo, que el sufrimiento de la vida ya había concluido y que la oscuridad no tardaría en disiparse. El viento cruzaba la llanura y revolvía las hojas de los almendros en las copas y formaba remolinos de arena entre las tumbas distantes. Ya viene el agua, les contó el Abuelo a los muertos, mientras contemplaba con alivio las nubes gordas que tupían el cielo. Bendito sea, ya viene el agua, repitió, pero ustedes no teman. Un goterón solitario cayó sobre la mano que empuñaba la pala. El Abuelo se acercó el dorso a la boca para lamer la dulzura de la primera lluvia de la temporada. Había que apurarse, terminar de cubrir los cuerpos, primero con una capa de cal y luego con otra de arena, antes de que cayera el aguacero, y luego colocar la malla de gallinero sobre la fosa, y las piedras encima para que los perros sin dueño no vinieran a desenterrar los cuerpos en la noche. Pero ustedes tranquilos, siguió diciéndoles, en un murmullo que apenas era más alto que un ronroneo. Ustedes no teman ni desesperen, quédense ahí tranquilitos. El cielo se encendió con la lumbre de un rayo, y un estruendo sordo sacudió la tierra. El agua no puede hacerles nada ya y lo oscuro no dura pa' siempre. ¿Ya vieron? ¿La luz que brilla a lo lejos? ¿La lucecita aquella que parece una estrella? Para allá tienen que irse, les explicó; para allá está la salida de este agujero.

AGRADECIMIENTOS

A Fernanda Álvarez, Eduardo Flores, Michael Gaeb, Miguel Ángel Hernández Acosta, Oscar Hernández Beltrán, Yuri Herrera, Pablo Martínez Lozada, Jaime Mesa, Emiliano Monge, Axel Muñoz, Andrés Ramírez y Gabriela Solís, por la generosidad con la que leyeron y comentaron las distintas versiones de esta novela. A Martín Solares por el mismo motivo, y por recomendarme *El otoño del patriarca* en el momento preciso. A Josefina Estrada, por las pistas que inadvertidamente me brindó con su admirable crónica *Señas particulares*. A la memoria de la escritora y activista social costarricense Carmen Lyra, autora de numerosos relatos, entre ellos *Salir con domingo siete*, su entrañable versión de este cuento popular de origen desconocido, en la que me basé para escribir la que aparece en estas páginas.

A los periodistas Yolanda Ordaz y Gabriel Huge —asesinados en Veracruz durante el gobierno del infame Javier Duarte de Ochoa—, cuyas notas policiacas y fotografías inspiraron algunas de las historias que pueblan esta *Temporada de huracanes*.

A Lourdes Hoyos por todo su cariño. A Uriel García Varela por la lucecita que brilla a lo lejos como una estrella.

A Eric, Hanna y Gris Manjarrez, por ser la mejor familia del universo, y por permitirme formar parte de ella.